进阶式对外汉语系列教材
A SERIES OF PROGRESSIVE CHINESE TEXTBOOKS FOR FOREIGNERS

成功之路
ROAD TO SUCCESS

进步篇·听和说
UPPER ELEMENTARY
Listening and Speaking

主　编　邱军
副主编　彭志平
执行主编　张辉
编　著　王小珊

北京语言大学出版社
BEIJING LANGUAGE AND CULTURE
UNIVERSITY PRESS

ROAD TO SUCCESS
A SERIES OF PROGRESSIVE CHINESE
TEXTBOOKS FOR FOREIGNERS

图书在版编目（CIP）数据

成功之路. 进步篇. 听和说. 第1册/邱军主编；王小珊编著.
–北京：北京语言大学出版社，2008.8（2019.4重印）
ISBN 978-7-5619-2176-0

Ⅰ.成… Ⅱ.①邱… ②王… Ⅲ.汉语–听说教学–对外汉语教学–教材
Ⅳ.H195.4

中国版本图书馆CIP数据核字（2008）第129108号

书　　　名：成功之路·进步篇　听和说（第一册）
版式设计：张　娜
责任印制：周　燚

出版发行：北京语言大学出版社

社　　址：北京市海淀区学院路15号　邮政编码：100083
网　　址：www.blcup.com
电　　话：编辑部 8610-82303647/3592/3395
　　　　　国内发行 8610-82303650/3591/3648
　　　　　海外发行 8610-82303365/3080/3668
　　　　　北语书店 8610-82303653
　　　　　客户服务信箱 service@blcup.net
印　　刷：北京中科印刷有限公司
经　　销：全国新华书店

版　　次：2008年8月第1版　2019年4月第13次印刷
开　　本：889毫米×1194毫米　1/16
印　　张：课本16.75/听力文本6
字　　数：431千字
书　　号：ISBN 978-7-5619-2176-0/H·08165
定　　价：76.00元

前　言

　　《成功之路》是一套为母语非汉语的学习者编写的对外汉语教材。这套教材既适用于正规汉语教学机构的课堂教学，也可以满足各类教学形式和自学者的需求。

　　《成功之路》为教学提供全面丰富的教学内容，搭建严谨规范的教学平台。学习者可获得系统的汉语言知识、技能、文化的学习和训练。同时，《成功之路》的组合式设计，也为各类教学机构和自学者提供充分的选择空间，最大程度地满足教学与学习的多样化需求。

◆ 架构

　　《成功之路》全套 22 册。按进阶式水平序列分别设计为《入门篇》、《起步篇》、《顺利篇》、《进步篇》、《提高篇》、《跨越篇》、《冲刺篇》、《成功篇》。其中《入门篇》为 1 册；《进步篇》综合课本为 3 册，《进步篇·听和说》、《进步篇·读和写》各 2 册；《提高篇》、《跨越篇》综合课本各 2 册，《提高篇·听和说》、《跨越篇·听和说》各 1 册；其余各篇均为 2 册。篇名不但是教学层级的标志，而且蕴涵着目标与期望。各篇设计有对应层级和对应水平（已学习词汇量），方便学习者选择适合自己的台阶起步。

进阶式对外汉语系列教材《成功之路》阶式图

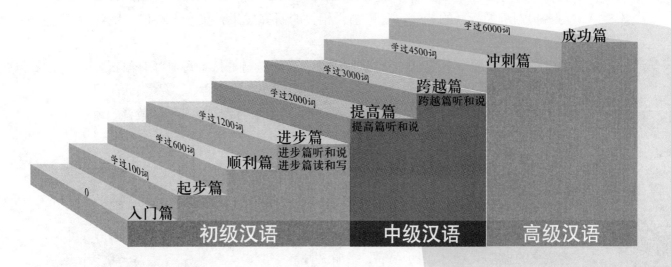

1

学习者选择教材参照表：

学习起点参照等级			适用教材
已学习词汇量	汉语水平考试等级（HSK）	欧盟语言框架等级（CEF）	
0			《入门篇》
100 词左右	HSK 一级		《起步篇》
600 词左右	HSK 二级、三级		《顺利篇》
1200 词左右	HSK 四级	A1	《进步篇》
2000 词左右	HSK 四级、五级	A2	《提高篇》
3000 词左右	HSK 五级、六级	B1	《跨越篇》
4500 词左右	HSK 六级	B2	《冲刺篇》
6000 词左右		C1	《成功篇》

◆ 依据

　　《成功之路》以"国家汉办"的《高等学校外国留学生汉语教学大纲（长期进修）》（简称《大纲》）为基本研制依据，采用自行研制的编教软件，对《大纲》的语言点（项）、词汇、汉字等指标进行穷尽式覆盖，以保证教材的科学性、系统性、严谨性。编写者还根据各层级学习和教学的需求，对《大纲》的部分指标进行必要的调整，其中高级汉语部分增删幅度较大。另外，对各类汉语学习者随机调研的结果以及相关精品教材的研究成果也是《成功之路》的重要研制依据。

◆ 理念

　　《成功之路》以"融合、集成、创新"为基本研制理念。作为一套综合性教材，其内涵的多样性决定理念的集成性，不囿于某一种教学法。因此，编写者根据所编教材的特性，分析融合相关的研究成果，集多家之成，纳各"法"之长。

　　创新是《成功之路》的重要研制理念，全套教材的每篇每册都有创新之处。创新点根据需要或隐含或显现，从中可见编写者的匠心。"易学、好教"是《成功之路》的研制目标，为实现此目标，尊重学习者的反馈和从教者的经验自然也是编写者的重要研制理念。

◆ 特点

　　《成功之路》作为一套诞生于新世纪的对外汉语教材，在"传承与创新""关联与独立""知识与技能""语言与文化""二维与多维"诸方面融入了编写者更多的思考和实践。限于篇幅，略加说明。

1. 传承与创新

《成功之路》从对外汉语教学的沃土中汲取丰富的营养，植根于它的发展，受益于它的进步。编写者将成功的教学经验、教学模式和研究成果带入教材，使《成功之路》更符合学习者的语言认知规律，更有助于学习者掌握和应用。如：《入门篇》、《起步篇》、《顺利篇》都以"讲练"的形式呈现，便是采纳对外汉语教学早期的"讲练模式"。这种更适宜初学者的编写设计，已经为多年的教学成效所证明。

《成功之路》在传承的基础上力求创新，篇篇都有创新点。如：《起步篇》和《顺利篇》改变以往语言点的描述角度，变立足于教师的规则性语言为面向学习者的使用性语言，便于学习者理解和运用。《提高篇》和《跨越篇》设计了语素练习项目，强化语素的辐射生成作用，增强学习者的词汇联想能力，减少记忆负担，提高学习效率；还在多项练习中设置语境，为学习者提供丰富的语用场，提高其准确地遣词用句的能力，为日后学以致用增加助力。《冲刺篇》和《成功篇》针对高级阶段词语辨析的难点，设置"异同归纳"的板块，将规则说明和练习紧密结合，实现从理解到使用的有效过渡。

另外，《入门篇》的总分式语音训练，《进步篇·听和说》、《进步篇·读和写》的融合性技能训练，《提高篇》、《跨越篇》的听说式"课文导入"，《冲刺篇》、《成功篇》的分合式"背景阅读"等等，都彰显着编写者的创新性理念和实践性思维。

2. 关联与独立

《成功之路》进阶式系列教材，全套共分8篇，涵盖初级汉语、中级汉语和高级汉语。各篇之间的关系如同阶梯，具有依存性和关联性，便于配套使用。如：设计者将"语词→语句→语段→语篇"的教学任务，明确分布于不同层级，强调各自的练习方式，为学习者提供一个循序且完整的训练过程。

同时，《成功之路》各篇也相对独立，可以单独使用。如：《进步篇·听和说》、《进步篇·读和写》从内容到形式，都适合做专项技能训练的独立教材。这种关联与独立相结合的设计，使《成功之路》既能保持配套教材的系统性，又有独立教材的灵活性，免除捆绑式教材的羁绊，为学习者提供更多的选择。

3. 知识与技能

《成功之路》定位于综合性语言技能训练教材。全套教材以训练语言能力为显性设计，以传授语言知识为隐性设计。编写者将语言知识的学习隐含于语言技能训练的全过程。如：《起步篇》、《顺利篇》、《进步篇》尽量淡化语言点的知识性描述，代之以直观的插图、表格、练习等，以此引导教师最大限度地避免单纯的知识讲授。上述"三篇"在设计中兼顾话题单元和语言点顺序，巧妙地处理话题与语言点交集的难题，较好地解决了长期困扰初级教材编写的"带着镣铐跳舞"的问题。《提高篇》和《跨越篇》将语言知识蕴涵在课文和练习中，使学习者能通过有计划的练习和活动实现对知识的理解和运用。

《成功之路》遵循并实践第二语言教学的基本原理，精心设计并处理语言知识和语言技能的关系，帮助学习者在技能训练中学习知识，进而以知识学习提高技能水平，最终达到全面提高汉语交际能力的目的。

4. 语言与文化

《成功之路》既是语言资源，又是文化媒介。在选文和编写过程中，编写者追求文化含量的最大化。全套教材自始至终贯穿一条"文化现象→文化内涵→文化理解"的完整"文化链"。如：《入门篇》、《起步篇》、《顺利篇》、《进步篇》使用初级汉语有限的语言材料，尽可能多地展现文化点，使学习者在学习语言的同时，自然地感受和了解中国文化。《提高篇》和《跨越篇》在对课文材料选取和删改时，特别注意其中的文化含量，为学习者提供丰富多彩的文化内容。《冲刺篇》和《成功篇》选文讲究，力求文质兼美、具有典范性。其中文化理解的可挖掘性为高端学习者构建了探究中国文化深层内涵的平台。

与单纯讲授文化的教材不同，《成功之路》将文化内容寓于语言学习之中。语言提升与文化理解，二者相得益彰。

5. 二维与多维

《成功之路》利用现代科技手段，建造二维平面与多维立体相契合的"教学场"。多媒体课件的研制和使用，弥补了传统平面教材的局限。除了直观、形象、生动的特点外，还可以增强教师对教材的调整和控制能力。如：生词的闪现、语句的重构、背景的再现等，使讲授过程更加得心应手。《成功之路》的多媒体课件可以让教材内容延伸至课堂外，扩大教学空间，形成教师得以充分施展的广阔的"教学场"。

同时，《成功之路》多媒体课件中完整的教学设计和教学思路也是可资借鉴的教案。

◆ 结语

语言教学，可以枯燥得令人生厌，也可以精彩得引人入胜。究其缘由，教师和教材是主因。

期望《成功之路》能为学习者带来一份精彩。

主编：邱军
2008 年 6 月

Preface

Road to Success is a series of foreign language teaching materials for non-native learners of Chinese. It not only can be applied to classroom teaching of formal Chinese teaching institutions, but also can meet the demands of various forms of teaching and self-taught learners.

Road to Success provides a comprehensive and rich teaching content and builds a scrupulous and standard teaching platform. Learners can get systematic learning and training of Chinese language knowledge, skills and culture. Moreover, the combinatorial design of Road to Success meets to the greatest extent diversified needs of teaching and learning by providing a wide choice for all types of teaching institutions and self-taught learners.

◆ Framework

Road to Success consists of 22 volumes, designed as a progressively-graded series including Threshold, Lower Elementary, Elementary, Upper Elementary, Lower Intermediate, Intermediate, Lower Advanced and Advanced. Threshold has 1 volume, Upper Elementary has 3 volumes of integrated textbooks, 2 volumes of Listening and Speaking, and 2 volumes of Reading and Writing respectively. Lower Intermediate and Intermediate each have 2 volumes of integrated textbooks and 1 volume of Listening and Speaking. The other sub-series each has 2 volumes. The title of each series indicates the teaching level. Each series is designed with corresponding level and vocabulary so that learners can choose the right series that suits them.

Ladder Chart of Road to Success

about 6000 words — Advanced

about 4500 words — Lower Advanced

about 3000 words

about 2000 words — Intermediate Listening and Speaking

about 1200 words — Lower Intermediate Listening and Speaking

about 600 words — Upper Elementary Listening and Speaking Reading and Writing

about 100 words — Elementary

0 words — Lower Elementary

Threshold

Elementary Chinese   Intermediate Chinese   Advanced Chinese

Reference Table for Learners to Choose Textbooks:

Reference Level for Learners			Textbooks
Vocabulary	Corresponding Level of HSK	Corresponding Level of CEF	
0			*Threshold*
Around 100	Level 1		*Lower Elementary*
Around 600	Level 2–3		*Elementary*
Around 1200	Level 4	A1	*Upper Elementary*
Around 2000	Level 4–5	A2	*Lower Intermediate*
Around 3000	Level 5–6	B1	*Intermediate*
Around 4500	Level 6	B2	*Lower Advanced*
Around 6000		C1	*Advanced*

◆ Basis

Road to Success takes the "Chinese-Teaching Syllabus for Foreign Students of Higher Educational Institutions(Long-Term Study)" ("Syllabus" in short) by the NOCFL as the basis for the development and covers exhaustively items such as the language points, vocabulary, Chinese characters and others in the Syllabus by applying the self-developed compiling and teaching software to ensure the scientificness, systematicness and preciseness of textbooks. The compilers make necessary adjustment to some requirements in the Syllabus, especially those of the advanced Chinese in accordance with the needs of learning and teaching of each level. In addition, the compilation bases on the result of random survey of various types of Chinese learners and research results of the related choice textbooks.

◆ Concept

Road to Success takes amalgamation, integration and innovation as the basic concept of development. Diversity of the connotation of a comprehensive series of teaching materials decides integration of the concept and it cannot be limited to a certain "mode". Therefore, according to the characteristics of the textbooks, the compilers analyse and amalgamate related research results and absorb results of various experts and strong points of each "mode".

Innovation is an important concept of development of *Road to Success* and each volume and section has innovational contents. Innovation points are either implied or clearly stated if necessary, from which the ingenuity of the compilers can be seen. "Easy to learn and teach" is the development goal of *Road to*

Success. For this reason, it is also an important development concept of the compilers to respect feedback of learners and experience of teachers.

◆ Features

As a series of textbooks of teaching Chinese as a foreign language compiled in the new century, *Road to Success* includes some thinking and practices of the compilers in "Tradition and Innovation", "Association and Independence", "Knowledge and Skills", "Language and Culture", "Two-Dimension and Multi-Dimension". As space is limited, these aspects are explained briefly as follows:

1. **Tradition and Innovation**

Rooted in the development of teaching Chinese as a foreign language, benefiting from its progress, *Road to Success* absorbs abundant nutrition from the fertile soil of teaching Chinese as a foreign language. Successful teaching experience, teaching mode and research results have enriched the content of textbooks. *Road to Success* accords better with the language cognitive rules of learners and is easier for learners to master and apply. For example, *Threshold*, *Lower Elementary* and *Elementary* all take the form of "teaching plus practice", adopting the "mode of teaching plus practice" in the initial stage of teaching Chinese as a foreign language. The design of compiling more suitable forms for beginners has been proved effective through many years of teaching.

Road to Success exerts itself to make innovation on the basis of imparting and inheriting, and each series has its innovation point. For example, *Lower Elementary* and *Elementary*, different from former description angle of language points, change formulaic language established for teachers into practical language geared to the needs of learners to facilitate students' understanding and application. The morpheme exercises of *Lower Intermediate* and *Intermediate* strengthen the role of multiplication, enhance learners' ability of vocabulary association, reduce burden of memory and improve efficiency of study. In addition, the two series offer context in some exercises to improve learners' ability of wording and phrasing and help them study for the sake of application in the future. In view of difficulty in words and expressions in the advanced stage, *Lower Advanced* and *Advanced* establish the "Sum-Up of Similarities and Differences" and integrate closely the rule explanation with exercises to realize an effective transition from understanding to application.

In addition, the innovative ideas and practical thinking are embodied in the general-individual mode of phonetic training in *Threshold*, the syncretic skill training in *Listening and Speaking* and *Reading and Writing* of *the Upper Elementary sub-series*, the listening-speaking mode of "Introduction to the Text" in *Lower Intermediate* and *Intermediate*, the separating-assembling mode of "Background Reading" in *Lower Advanced* and *Advanced*, etc.

2. Association and Independence

Road to Success consists of eight series, covering elementary Chinese, intermediate Chinese and advanced Chinese. The eight series are interdependent like a ladder, associating with each other and can be used as a complete set. For example, the designer clearly distributes the teaching tasks of words and phrases, sentences, paragraphs and passages in different levels, stressing their respective ways of practice and providing learners a step-by-step and complete training process.

Moreover, each series of *Road to Success* is relatively independent and can be used alone. For example, both content and forms of *Listening and Speaking* and *Reading and Writing* of *the Upper Elementary sub-series* can be used as an independent textbook of special skill training. The design of combining association with independence ensures that *Road to Success* has both the systematic nature of a complete set of teaching materials and the flexibility of the independent teaching materials, releasing itself from the fettering of binding materials and providing learners more choices.

3. Knowledge and Skills

Road to Success is oriented towards comprehensive training of language skills. The complete set of teaching materials takes language skill training as the explicit design and language knowledge teaching as the implicit design. The compilers embed the study of language knowledge in the whole process of language skills training. For example, *Lower Elementary*, *Elementary* and *Upper Elementary* weaken knowledge description of language points as much as possible and strengthen visual illustrations, tables, exercises, etc. to guide teachers to avoid simplex knowledge teaching. The design of those three series gives consideration to both the topic unit and the order of language points, skillfully deals with the difficult problem between topics and language points and the problem of "dancing with fetters", which has been restricting the elementary teaching materials for a long time. *Lower Intermediate* and *Intermediate* contain language knowledge in texts and exercises to ensure that learners can understand and apply the knowledge through planned practice and activity.

Road to Success follows and practises the basic principles of second language teaching, carefully designs and deals with the relationship between language knowledge and language skills, helping learners master knowledge through skill training, improving the skill level by learning knowledge and language skills and in the end achieve the goal of comprehensively improving the communicative competence in Chinese.

4. Language and Culture

Road to Success is not only language resources but also a cultural medium. The compilers pursue the maximization of cultural content in selecting texts and compiling the teaching materials. Throughout the whole set of teaching materials, there exists a complete cultural chain — "phenomenon of culture → connotation of culture → understanding of culture". For example, with limited language materials of elementary Chinese, *Threshold*, *Lower Elementary*, *Elementary* and *Upper Elementary* exhibit as many language points as possible to help learners naturally experience and comprehend the phenomenon of Chinese culture while learning the language. When selecting and modifying the texts of *Lower Intermediate* and *Intermediate*, the compilers give special attention to providing learners with rich and colorful cultural contents. *Lower Advanced* and *Advanced* are particular about selecting texts and ensure that the passages are both superior in content and paragons of a kind. The exploitation of understanding of culture can help advanced learners build a platform to explore the deep connotation of Chinese culture.

Different from the textbooks simply teaching culture, *Road to Success* contains cultural contents in language learning. Language learning and understanding of culture bring out the best in each other.

5. Two-Dimension and Multi-Dimension

Road to Success constructs a "teaching field" by means of modern science and technology, where the two-dimensional plane agrees with the multi-dimensional solidly. The development and use of the multimedia courseware make up for the limitations of traditional paper teaching materials. It is visual and vivid and can enhance teachers' ability to adjust and control the teaching materials as well. For example, the flashing of new words, reconstruction of sentences and recurrence of backgrounds make the teaching process more effective. The multimedia courseware of *Road to Success* extends the contents of the teaching materials as far as after-class, expanding teaching space and forming a broad "teaching field", where teachers can fully display their talents.

In addition, the integrated teaching design and teaching ideas in the multimedia courseware of *Road to Success* are also teaching plans that are worth referring to.

◆ Conclusion

On the one hand language teaching can be boring and on the other it also can be fascinating. For those two results, teachers and teaching materials are the main reasons.

I hope that *Road to Success* can bring brilliance to learners.

Chief Editor: Qiu Jun
June, 2008

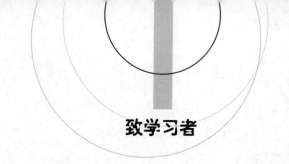

致学习者

在跟中国人交往时,你遇到的最大困难是什么? 一定是他们说的话你听不懂,你想说的话又不知道该怎么用汉语来表达。这本教材把听和说的训练结合在一起,不但能教会你怎么听,还能教会你听后怎么说,教你用口语表达和解决在生活中遇到的各种问题。

● 这本教材有什么特点?

① 内容实用,都是你在中国学习和生活中最可能听到、用到的。

② 信息丰富、真实,你从中可以了解到真实的中国生活。

③ 图片生动有趣,你学起来会更轻松。

④ 小组活动形式多样,你说起来会更尽兴。

⑤ 测试不注重写,听懂会说就能考出好成绩。

● 使用这本教材应该注意些什么?

① 上课前最好能预习一下当堂课的生词。这些汉字,不要求你会写,但是你应该知道这些词的发音和意思,这样在听和说的时候就会比较容易。

② 平时你跟中国人谈话时,听不懂的地方一定很多,但是你不会紧张,这是因为你觉得能猜出大概的意思就行了。在学习这本教材时你也要这样,不需要把每个字词都听懂,听后只要能回答出教材上的问题,就说明你已经达到要求了。

③ 你应该把主要的注意力放在教材中有关生活常识的学习和信息的吸收上,不要只注意个别词句的理解。了解了这些常识和信息,会帮助你解决在中国生活、学习中很多实际的问题。

④ 每课都有一个话题,前边"听"的部分是教给你谈论这些话题所需要的词语和表达方式,后边"说"的部分是根据这些话题所组织的各种说的活动。你一定要积极参加这些活动,能用你刚掌握到的信息和表达方式去模拟解决一个个类似实际生活中的问题,是多么开心的一件事! 一段时间过后,你会发现,你的汉语听的能力和说的能力都有了喜人的提高。

希望你能喜欢这本教材。

编者:王小珊

2008 年 7 月

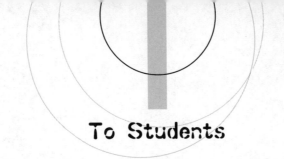

To Students

What is your biggest problem when you communicate with a Chinese? It must be that you can't understand what they say and you don't know how to express yourself in Chinese. Combining the training in listening and speaking, this textbook can not only teach you how to listen, but also teach you how to speak after listening. It can also teach you to express yourself in spoken Chinese to solve all kinds of problems you may encounter in daily life.

- **What are the features of this textbook**?

① The practical content is what you are most likely to hear and use when you study and live in China;

② From the rich and authentic information, you can learn what the real life in China like;

③ The vivid and interesting pictures make your study easier;

④ The group activities of various kinds make you enjoy the speaking practice;

⑤ Instead of laying stress on testing writing in the examination, you can get a good grade as long as you have good listening and speaking abilities.

- **What should you pay attention to when you use this book?**

① You'd better preview the new words before class. You are not required to be able to write these Chinese characters, but you are supposed to know the pronunciations and meanings of these words to facilitate you to listen and speak;

② Surely you may not understand every word he/she says when you talk with a Chinese. But you will not be nervous about it because you know being able to guess the general meaning is enough. It is the same when you study this textbook. You needn't understand every character or word when you study this textbook because you will already meet the requirements as long as you can answer the questions after listening;

③ You should focus your attention on learning the general knowledge and information in your daily life instead of some specific words or sentences only. An understanding of the general knowledge and information will help you solve many realistic problems when you live and study in China;

④ Every lesson has a topic. The former listening part teaches you the words and expressions needed for the topic, while the latter speaking part involves all kinds of organized activities based on this topic. You are encouraged to take an active part in these activities. What fun it is to discuss the similar real-life problems with the information and expressions you've just learned! You will find amazing improvement in your Chinese listening and speaking abilities after some time.

We hope you will like this textbook.

The compiler: Wang Xiaoshan

July, 2008

1 她忘了自己是外国人

学过一段时间的汉语了，你觉得自己有很大进步吧？现在你在学习上有了问题，会向老师询问吗？你想不想知道别人都有哪些好的学习方法？还有，在学习汉语时你一定遇到过很多有趣的事，想不想告诉大家？这一课就是教你怎么谈论跟汉语学习有关的话题。

本课共分三个部分：

第一部分　怎么了解学习上的规定
第二部分　介绍学习汉语的方法
第三部分　学习汉语的趣事

第一部分　怎么了解学习上的规定

对话1

你什么时候才能习惯　🎧 录音1

词语提示		
1. 规定	guīdìng	regulation
2. 缺课	quēkè	miss a class
3. 迟到	chídào	be late for
4. 早退	zǎotuì	leave early
5. 习惯	xíguàn	be accustomed to
6. 结束	jiéshù	end

问题提示

1. 阿伟上周为什么没来上课?

2. 他是第一次缺课吗? 为什么?

3. 他每天来得早还是来得晚? 为什么?

（一）听第一遍后回答提示的问题

（二）听第二遍后回答下面的问题

1. 你觉得他以后能早来吗? 为什么?

2. 你觉得阿伟缺课的理由是真的吗?

3. 你对学生迟到、早退（leave early）或缺课的问题有什么看法?

对 话 2

我想换班　🎧 录音 2

词语提示

1. 换班	huàn bān	transfer class
2. 适合	shìhé	suitable
3. 程度	chéngdù	level
4. 跳级	tiào jí	jump a grade
5. 条件	tiáojiàn	requirement
6. 手册	shǒucè	handbook
7. 够	gòu	enough
8. 参加	cānjiā	participate in
9. 通过/及格	tōngguò/jígé	pass
10. 证书	zhèngshū	certificate
11. 学分制	xuéfēnzhì	credit system

12. 必修课	bìxiūkè	required course
13. 选修课	xuǎnxiūkè	elective course
14. 补考	bǔkǎo	take a make-up examination

问题提示

1．这个学生为什么想换班？他想换到什么样的班？
2．学生能随便跳级吗？为什么？
3．如果跳级的条件不够怎么办？
4．怎么才能拿到毕业证书？
5．如果考试没通过怎么办？

（一）听第一遍后回答提示的问题

（二）听第二遍后回答下面的问题

1. 他以前是哪个班的？现在换到了哪个班？
2. 他想什么时候跳级？
3. 如果你想换班或跳级，应该怎么说？
4. 如果你考试没通过，担心不能毕业，应该怎么问？

（三）小组活动

选择其中的一个题目，进行角色对话。
1. 一个学生经常迟到、缺课。
2. 一个学生想换班。
3. 一个学生想跳级。
4. 一个学生考试不及格。

第二部分 介绍学习汉语的方法

我们还没决定呢　　录音3

词语提示

1. 记者	jìzhě	reporter	7. 点头	diǎn tóu	nod
2. 丈夫	zhàngfu	husband	8. 院子	yuànzi	yard
3. 进步	jìnbù	make progress	9. 门口	ménkǒu	gate
4. 散步	sàn bù	take a walk	10. 迷路	mí lù	lose one's way
5. 怕	pà	be afraid of	11. 奇怪	qíguài	strange, odd, queer
6. 猜	cāi	make a guess			

问题提示

1. 她是做什么工作的？她丈夫呢？
2. 他们俩的汉语怎么样？为什么？
3. 她教给丈夫一个学汉语的什么方法？
4. 她丈夫猜对了吗？

一 听第一遍后回答提示的问题

二 听第二遍后回答下面的问题

1. 她是怎么帮助丈夫的？
2. 那天他们去散步的时候，遇到了什么麻烦？
3. 那个老人想做什么？
4. 他们俩为什么笑了起来？
5. 你是不是也常用这种猜的方法学汉语？效果怎么样？

三 请复述一下这位女记者教给丈夫的学汉语的方法

学习汉语，你要多……、多……，不要怕……。……的时候，你可能会……，这没关系，你可以……，有时候能……。比如说，你看见……，你走过去，那个人一定会……，虽然你……，但你能……，所以你……说"……"就行了，这样回答一定……。

四 小组活动

请一个人说出自己学习上的困难，别的人帮他想一个好的学习方法。

 **短 文 2**

她忘了自己是外国人 🎧 录音4

词语提示

1. 商人	shāngrén	merchant
2. 高中	gāozhōng	senior high school
3. 乐趣	lèqù	fun
4. 官方语言	guānfāng yǔyán	official language
5. 家庭主妇	jiātíng zhǔfù	housewife
6. 做生意	zuò shēngyi	do business
7. 逛街	guàng jiē	stroll along the street
8. 小吃	xiǎochī	snack
9. 地道	dìdao	perfect
10. 口音	kǒuyīn	accent

图片提示

1. 中国结 zhōngguójié 2. 剪纸 jiǎnzhǐ 3. 水墨画 shuǐmòhuà

问题提示

1. 金爱英是哪国人？
2. 她家有几口人？她为什么来到上海？
3. 他们一家在上海做什么？
4. 他们全家最喜欢做的事是什么？他们是怎么做的？
5. 她和哥哥为什么学习很努力？
6. 她现在汉语说得怎么样了？

（一）听第一遍后回答提示的问题

（二）听后猜测词句大意

1. "她爸爸经常要在中国、韩国两头跑。"这句话大概是什么意思？
2. "学习汉语是这个家庭最大的乐趣。"这句话大概是什么意思？
3. "家里的'官方语言'早就从韩语变成了汉语。"这句话大概是什么意思？
4. "她的发音比一些有上海口音的中国学生还地道。"这句话大概是什么意思？

（三）听第二遍后，请从以下几个方面说一说金爱英汉语学得好的原因

原因	
语言环境　　yǔyán huánjìng linguistic environment	
学习兴趣　　xuéxí xìngqù interest in learning	
学习目的　　xuéxí mùdì learning objective	
学习态度　　xuéxí tàidu learning attitude	
学习方法　　xuéxí fāngfǎ learning method	
父母的做法　fùmǔ de zuòfǎ the way parents do things	

（四）听后讨论

你觉得要学好汉语，上面所列出的哪些条件很重要？请说明为什么。

第三部分　学习汉语的趣事

 短 文 1

中国人很热情　◯录音5

词语提示	

1. 座位	zuòwèi	seat	5. 得意	déyì	complacent
2. 聊	liáo	chat	6. 热情	rèqíng	warm-hearted
3. 赶紧	gǎnjǐn	hurry, hasten	7. 夸	kuā	praise
4. 棒	bàng	good			

听后回答问题：

1. 他们是哪国人？

2. 在车上，中国人是怎么跟他们聊天儿的？

3. 她男朋友的汉语怎么样？他为什么很得意？

4. 为什么她不知道该怎么回答她的男朋友？

5. 在中国，你不用担心什么？

 短文2

你们老师一定会气死的　🎧 录音6

词语提示						
1. 侄女	zhínǚ	niece	4. 老鼠	lǎoshǔ	mouse
2. 发音	fā yīn	pronounce	5. 气死	qìsǐ	drive someone crazy
3. 教室	jiàoshì	classroom			

一 听后判断对错

1. 她的侄女明年10岁。　　　　　　　　（　　）

2. 她侄女汉语说得不好。　　　　　　　（　　）

3. "老师"这个词发音错了没关系。　　（　　）

二 听后说

　请讲一件你或别人学汉语的趣事。

本课小结 语言学习1

重 点 词 语

1. 规定	guīdìng	15. 证书	zhèngshū
2. 缺课	quēkè	16. 学分制	xuéfēnzhì
3. 迟到	chídào	17. 必修课	bìxiūkè
4. 早退	zǎotuì	18. 选修课	xuǎnxiūkè
5. 结束	jiéshù	19. 补考	bǔkǎo
6. 换班	huàn bān	20. 猜	cāi
7. 适合	shìhé	21. 奇怪	qíguài
8. 程度	chéngdù	22. 地道	dìdao
9. 跳级	tiào jí	23. 口音	kǒuyīn
10. 条件	tiáojiàn	24. 语言环境	yǔyán huánjìng
11. 手册	shǒucè	25. 学习兴趣	xuéxí xìngqù
12. 够	gòu	26. 学习目的	xuéxí mùdì
13. 参加	cānjiā	27. 学习态度	xuéxí tàidu
14. 通过/及格	tōngguò/jígé	28. 学习方法	xuéxí fāngfǎ

重 点 问 题

1. 你们学校有哪些学习上的规定？

2. 你想换班或跳级，应该怎么说？

3. 跳级有什么条件？

4. 怎样才能拿到毕业证书？

5. 考试不及格了，该怎么办？

6. 你有什么好的学习方法？

7. 学好汉语有什么条件？你认为哪些条件很重要？

8. 请你讲一件你学习汉语的趣事。

我们为学习汉语而来

你在学习汉语的过程中一定遇到过很多困难，比如，你的汉语水平总是提高得不快，你不知道自己的问题出在哪里，你想请老师帮助，可是又不知道该怎么说，也不知道怎样才能练好口语，更不用说向别人介绍自己学习汉语的经历了。这一课教大家怎么解决在学习上遇到的这些问题。

本课共分三个部分：

第一部分　怎么找辅导老师

第二部分　怎么找语伴

第三部分　怎么介绍自己学习汉语的经历

第一部分　怎么找辅导老师

 对 话

我想请您辅导　录音 7

词语提示		
1. 经验	jīngyàn	experience
2. 辅导	fǔdǎo	coach, tutor
3. 完全	wánquán	complete
4. 稍等	shāoděng	just a second

问题提示

1．大卫为什么要找辅导老师？

2．李老师同意给他辅导了吗？为什么？

3．他跟辅导老师在电话里主要谈了什么？

（一）听第一遍后回答提示的问题

（二）听第二遍后回答下面的问题

1. 他的辅导老师怎么样？

2. 他们一个星期辅导几次？一次几个小时？什么
时间？从哪天开始？在什么地方上课？

3. 如果你想请某人辅导，应该跟他怎么说？

(1) 我的……不太好，想请您……，不知道您……，那就看您……了。我没问题，……。

(2) 辅导几次？一次几个小时？什么时间？从哪天开始？在什么地方上课？

（三）小组活动

两个人一组，一个扮演学生，一个扮演老师，表演"打电话找辅导老师"。

第二部分　怎么找语伴

短 文

我的语伴 　录音8

词语提示

1. 语伴(对练)	yǔbàn(r) (duìliàn)	speaking partner
2. 食堂	shítáng	canteen
3. 各种各样	gè zhǒng gè yàng	various

4. 辣	là	hot, spicy
5. 菜名	càimíng	name of a dish
6. 味道	wèidào	flavor
7. 互相	hùxiāng	each other
8. 巧	qiǎo	coincidental
9. 愿意	yuànyì	be willing
10. 进步	jìnbù	make progress

问题提示

1. 夏洛特是哪国人？她来中国多长时间了？
2. 她现在汉语说得怎么样了？为什么？
3. 她的语伴是谁？她们在哪儿认识的？
4. 她们怎么互相帮助？

(一) 听第一遍后回答提示的问题

(二) 第二遍分段听，听后回答下面的问题

1. 夏洛特刚来中国的时候汉语怎么样？
2. 她到食堂后为什么不知道该怎么办？
3. 她最后买到菜了吗？她是怎么买到的？
4. 她为什么说"太巧了"？
5. 这个中国学生同意给她辅导吗？为什么？
6. 这样互相帮助的人叫什么？也叫什么？
7. 她的这个语伴怎么样？

(三) 听后复述  "她们怎么互相帮助"

　　每次我辅导她……，她辅导我……。我们每天在……一起……，一起……。……时我没听懂……，她都给我……。她常……，我们一起……，……，周末还……，她带我去……。我的老师们都说……。

（四）听后说

请介绍一下你自己或朋友的语伴。（是谁？做什么的？怎么认识的？你们怎么互相帮助？结果怎么样？）

第三部分 **怎么介绍自己学习汉语的经历**

 对 话（电视采访）

我们为学习汉语而来　🎧 录音 9

词语提示		
1. 观众	guānzhòng	spectator
2. 经历	jīnglì	experience
3. 南非	Nánfēi	South Africa
4. 经济	jīngjì	economy
5. 功夫	gōngfu	kung fu
6. 演员	yǎnyuán	actor/actress
7. 遗憾	yíhàn	pity
8. 后悔	hòuhuǐ	regret
9. 辞	cí	resign，quit
10. 计算机	jìsuànjī	computer
11. 高中	gāozhōng	senior high school
12. 匆忙	cōngmáng	busy
13. 感动	gǎndòng	be moved
14. 家庭	jiātíng	family
15. 师母	shīmǔ	the wife of one's teacher
16. 师兄	shīxiōng	senior male fellow student
17. 师弟	shīdì	junior male fellow student

18. 孤独	gūdú	lonely
19. 东北	Dōngběi	Northeast China
20. 天津	Tiānjīn	a name of a city
21. 上海	Shànghǎi	a name of a city
22. 广州	Guǎngzhōu	a name of a city

问题提示

1. 电视台为什么请他们来参加这个节目？
2. 这几个学生分别叫什么名字？他们都是哪
   国人？
3. 请猜猜这些图片分别与录音中的谁有关。

图片提示

1. (　　) 天津

2. (　　) 清华大学

3. (　　) 上海

4. (　　) 中国功夫

一 听第一遍后回答提示的问题

二 第二遍分段听，听后回答下面的问题

拉曼	1. 他正在哪儿学习？他学习什么？ 2. 他刚开始来中国时想学什么？他为什么觉得很遗憾？ 3. 他后悔来中国了吗？为什么？
松井和子	1. 来中国以前她是做什么的？她的工作怎么样？ 2. 她为什么辞了自己的工作？ 3. 她是在哪儿学的汉语？毕业后想在哪儿工作？为什么？
朴成熙	1. 他的汉语为什么说得这么好？ 2. 他为什么要上清华大学？ 3. 他为什么喜欢在中国上大学？
爱丽丝	1. 她现在是学生吗？ 2. 她对中国的大学有什么样的感觉？ 3. 她为什么想留在中国？

三 小组活动1

两个人一组，介绍录音中这四个人学汉语的经历。（根据上面的问题成段表达 express your ideas in paragraphs）

四 小组活动2

四个人一组，一个人扮记者，采访其他三个人，让他们介绍一下自己学汉语的经历。然后记者向大家简单介绍这三个人的情况。

采访问题提示：

1. 为什么来中国？

2. 为什么要学习汉语？

3. 现在在哪儿学习？

4. 毕业以后打算做什么？

本课小结 语言学习2

重 点 词 语

1. 经验	jīngyàn		13. 经济	jīngjì
2. 辅导	fǔdǎo		14. 遗憾	yíhàn
3. 完全	wánquán		15. 后悔	hòuhuǐ
4. 稍等	shāoděng		16. 辞	cí
5. 语伴(对练)	yǔbàn(r) (duìliàn)		17. 计算机	jìsuànjī
6. 各种各样	gè zhǒng gè yàng		18. 高中	gāozhōng
7. 互相	hùxiāng		19. 感动	gǎndòng
8. 巧	qiǎo		20. 家庭	jiātíng
9. 愿意	yuànyì		21. 师母	shīmǔ
10. 进步	jìnbù		22. 师兄	shīxiōng
11. 观众	guānzhòng		23. 师弟	shīdì
12. 经历	jīnglì		24. 孤独	gūdú

重 点 问 题

1. 你想请人辅导，应该怎么说？

2. 第一次怎么跟辅导老师谈话？

3. 怎么介绍你的语伴？

4. 请介绍一下你学习汉语的经历。

3 我想换个房间

住宿是每个在中国生活的外国人都会遇到的一个很重要的问题。谁都希望自己住的地方又舒服又便宜，但是由于每个人对宿舍的要求不一样，要想找到一个能让自己满意的房间并不是很容易。这一课我们开始聊聊有关住宿的话题。

本课共分三个部分：

第一部分　介绍留学生宿舍

第二部分　介绍自己的房间

第三部分　怎么说明宿舍的问题

第一部分　介绍留学生宿舍

 短 文

我们学校的宿舍　录音 10

词语提示

1. 独立	dúlì	separate
2. 公共	gōnggòng	public
3. 床位	chuángwèi	bed
4. 上下	shàngxià	about
5. 不等	bùděng	vary
6. 房费	fángfèi	rent
7. 家具	jiājù	furniture
8. 上网口	shàngwǎngkǒu	Internet access

图片提示

1. 单人间 dānrénjiān

2. 双人间 shuāngrénjiān

3. 公共厨房 gōnggòng chúfáng

4. 公共洗衣机 gōnggòng xǐyījī

5. 公共卫生间 gōnggòng wèishēngjiān

6. 公共浴室 gōnggòng yùshì

7. 套间 tàojiān

8. 客厅 kètīng

9. 卧室 wòshì

10. 独立卫生间 dúlì wèishēngjiān

11. 独立厨房 dúlì chúfáng

12. 洗衣间 xǐyījiān

13. 冰箱 bīngxiāng

14. 空调 kōngtiáo

15. 电视 diànshì   电脑 diànnǎo

问题提示

1. 留学生宿舍有几种房间?
2. 这些房间的房费一样吗?
3. 房间里一般都有什么?

（一）听第一遍后回答提示的问题

（二）听第二遍后回答下面的问题

1. 什么是单人间、双人间和套间?
2. 什么房间很便宜? 为什么? 大概多少钱?
3. 什么房间要贵一点儿? 为什么? 大概多少钱?
4. 什么房间比较贵? 为什么? 大概多少钱?
5. 这些房间还有什么不一样?

 对 话

我要订个房间 🎧录音11

词语提示		
1. 订	dìng	book
2. 入学通知书	rùxué tōngzhīshū	notice of enrolment
3. 填表	tián biǎo	fill in a form
4. 押金	yājīn	deposit
5. 收据	shōujù	receipt
6. 入住	rùzhù	check in
7. 门卡	ménkǎ	room card
8. 退房	tuì fáng	check out
9. 结账	jié zhàng	settle the bill

一 听后回答问题

1. 他订了一个什么房间？房费多少？他要住多长时间？从什么时间到什么时间？

2. 这个学校都有什么房间？房费是多少？

3. 在饭店或学校应该怎么订房间、退房间？

（①问房间的种类、房费；②说明住的时间，交押金，拿房间的门卡；③退房，交门卡，结账）

二 小组活动

一个人扮演饭店服务人员，一个人扮演住客，进行角色对话："订房间""退房间"。

第二部分 介绍自己的房间

 短 文

我的房间 录音12

词语提示

1. 挤	jǐ	crowded	5. 满	mǎn	full
2. 床头柜	chuángtóuguì	bedstand	6. 暖气	nuǎnqì	heating
3. 书架	shūjià	bookshelf	7. 接受	jiēshòu	accept
4. 衣柜	yīguì	wardrobe	8. 满意	mǎnyì	satisfied

问题提示

1. 他住的是一个什么房间？
2. 他的房间里有什么？
3. 他对自己的房间满意吗？

（一）听第一遍后回答提示的问题

（二）听第二遍后回答下面的问题

1. 他住的房间看起来怎么样？
2. 他对自己的宿舍满意的地方是什么？
3. 他对自己的宿舍不满意的地方是什么？

（三）听后看图片复述 "他房间里的东西是怎么摆放的？"

他的房间有……，……的中间是……，……上边放着……，下边放着……。靠着……还有……，书架……，门后边……，这些东西……。

四　分组介绍自己的房间

（住的什么房间？东西怎么摆放？房费多少？对房间满意或不满意的地方。）

第三部分　怎么说明宿舍的问题

你是经理吗　🔊 录音 13

词语提示		
1. 修	xiū	repair
2. 打算	dǎsuàn	plan
3. 全	quán	all
4. 换	huàn	change
5. 受不了	shòu bu liǎo	cannot stand
6. 解决	jiějué	solve
7. 考虑	kǎolǜ	consider

问题提示
1. 她的房间有什么问题？
2. 学校方面想怎么给她解决？
3. 最后解决这个问题了吗？

一 听第一遍后回答提示的问题

二 听第二遍后回答下面的问题

1. 这个学生是怎么跟经理说明房间的问题的？

(我住在……房间，我的房间……，我找过……，她们说……，让我……。)

2. 她对第一个解决办法满意吗？为什么？

3. 经理同意什么时间解决她的问题？

4. 如果对方不能马上解决你的问题，你应该怎么说？

 **对话2**

我想换个房间 　录音14

词语提示		
1. 习惯	xíguàn	habit
2. 早睡早起	zǎo shuì zǎo qǐ	go to bed early and get up early
3. 吵	chǎo	noisy
4. 合住	hézhù	share a room
5. 空	kòng	unoccupied
6. 抽烟	chōu yān	smoke
7. 整天	zhěngtiān	all day long
8. 待	dāi	stay

问题提示
1. 她为什么要换房间？
2. 最后她换房间了没有？

（一）听第一遍后回答提示的问题

（二）听第二遍后回答下面的问题

1. 她愿意换到 211 房间吗？为什么？

2. 她愿意换到 302 房间吗？为什么？

3. 她愿意一个人住吗？为什么？

4. 你觉得她能找到自己满意的房间吗？为什么？

（三）小组活动

几个人分别扮演服务员、学生、经理、同屋、隔壁邻居等人，试试看怎么解决下面的问题。（选其中的一个题目。）

1. 空调不好，屋子里很热。

2. 隔壁太吵，不能休息。

3. 跟同屋的生活习惯不一样。

 **本课小结** 住宿 1

<table>
<tr><td colspan="4" align="center">重点词语</td></tr>
</table>

1.	独立	dúlì	16.	满	mǎn
2.	公共	gōnggòng	17.	满意	mǎnyì
3.	床位	chuángwèi	18.	修	xiū
4.	上下	shàngxià	19.	打算	dǎsuàn
5.	不等	bùděng	20.	受不了	shòu bu liǎo
6.	房费	fángfèi	21.	解决	jiějué
7.	家具	jiājù	22.	考虑	kǎolǜ
8.	订	dìng	23.	习惯	xíguàn
9.	押金	yājīn	24.	早睡早起	zǎo shuì zǎo qǐ
10.	收据	shōujù	25.	吵	chǎo
11.	入住	rùzhù	26.	合住	hézhù
12.	门卡	ménkǎ	27.	空	kōng
13.	退房	tuì fáng	28.	整天	zhěngtiān
14.	结账	jié zhàng	29.	待	dāi
15.	挤	jǐ			

单人间　双人间　套间　公共厨房　洗衣机　卫生间　浴室　独立卫生间
卧室　客厅　洗衣间　冰箱　空调　电视　电脑　床头柜　书架　衣柜　暖气

<table>
<tr><td align="center">重点问题</td></tr>
</table>

1. 学校宿舍一般有哪些种类的房间？房间里有什么？房费多少？
2. 怎么订房间？
3. 怎么介绍自己的房间？
4. 怎么说明宿舍的问题？
5. 如果你想换房间，应该怎么说？

4 在哪儿住好

不论你在中国是学习还是工作，都需要租房子，但是怎么选择适合自己住的地方，也是一个比较麻烦的事情。而且在找房子的时候，有人因为汉语说得不好，又不太了解当地租房市场的情况，有可能租不到满意的房子。也有人虽然租到了房子，但又可能会遇到各种问题。这一课我们就要学习怎么租房子。

本课共分三个部分：

第一部分　怎么选择适合自己住的地方
第二部分　怎么了解租房信息
第三部分　怎么看合租的问题

第一部分　怎么选择适合自己住的地方

 对 话

在哪儿住好　🎧 录音 15

词语提示		
1. 校内/外	xiàonèi/wài	inside(outside) campus
2. 锻炼	duànliàn	do physical exercises
3. 运动场	yùndòngchǎng	sports ground
4. 打扫	dǎsǎo	clean
5. 旅馆	lǚguǎn	hotel
6. 好处	hǎochu	advantage

7. 自由	zìyóu	freedom
8. 房东/房主	fángdōng/fángzhǔ	landlord
9. 邻居	línjū	neighbor

图片提示

1. 校内宿舍

2. 校外公寓

问题提示

1. 女的喜欢住在哪儿? 不喜欢住在哪儿? 为什么?
2. 男的喜欢住在哪儿? 不喜欢住在哪儿? 为什么?

（一）听第一遍后，根据下表说一说男女的看法分别是什么

	住在校内宿舍	在校外租房
女的的看法		
男的的看法		

二 听第二遍后猜测下面的词语或句子的意思

1. "我这个人自由惯了。"这句话大概是什么意思？

   A 我习惯了自由　　　　　　　　B 我不习惯太自由

2. "要是没有这些规定，学生宿舍不就成了旅馆了吗？"这句话大概是什么意思？

   A 学校不应该有这些规定　　　　B 学校应该有这些规定

3. "套间的房费太贵，我租不起。"这句话里的"租不起"大概是什么意思？

   A 我没有钱，不能租　　　　　　B 我不喜欢，不想租

4. "出了问题谁管啊？"这句话是什么意思？

   A 我不知道谁管　　　　　　　　B 有了问题没有人管

5. "我要是你，说什么也不会在校外租房的。"这句话大概是什么意思？

   A 在校外租房我不会说　　　　　B 我一定不会在校外租房

三 听后讨论

   你觉得住在校内宿舍好，还是在校外租房好？为什么？

第二部分 **怎么了解租房信息**

 **短 文 1**

看租房小广告　　🎧 录音 16

词语提示

1. 出租	chūzū	for rent, let
2. 求租	qiúzū	room wanted
3. 一居室	yī jūshì	one-room apartment
4. 装修	zhuāngxiū	fit up, decorate
5. 家电	jiādiàn	household electrical appliance
6. 租金	zūjīn	rental
7. 联系	liánxì	contact

8. 合租	hézū	share the rent
9. 要求	yāoqiú	requirement
10. 按	àn	by
11. 约好	yuēhǎo	make an appointment
12. 符合	fúhé	conform to
13. 签合同	qiān hétong	sign up a contract
14. 中介费	zhōngjièfèi	the intermediary fee

图片提示

1. 广告栏 guǎnggàolán

2. 小广告

3. 租房合同书

信息提示

出 租

本人欲出租一套两室一厅的住房，精装修，家具、家电齐全，租金面议。

王先生

电话 28315557

求 租

本人欲在学校附近租一套一居室，要求干净，家具、家电齐全。可年付。中介免谈。

李小姐

电话 82386924

问题提示
1."出租"的广告是谁写的？ 2."求租"的广告是谁写的？ 3."出租"广告主要告诉你什么？ 4."求租"广告主要告诉你什么？ 5.看广告租房有什么好处？

一　听第一遍后回答提示的问题

二　第二遍分段听，听后回答下面的问题

1. 如果你对广告中介绍的房子感兴趣，你该怎么做？

（按……给……打电话，约好……。）

2. 看了房子以后，你该怎么做？为什么？

（如果……，决定……，就……，如果不……，以后……。）

3. 你知道租房合同书上一般都有什么内容吗？

（房子的地址、房子的种类、租金、设备、租住时间、交费方式、甲乙双方的责任和义务。）

 短文 2

找房屋中介公司　　🎧 录音 17

词语提示					
1. 调查	diàochá	investigate	5. 上网	shàng wǎng	
2. 情况	qíngkuàng	situation			use the Internet
3. 合法	héfǎ	legal	6. 网站	wǎngzhàn	web site
4. 报纸	bàozhǐ	newspaper			

问题提示

1. 为什么有些人喜欢找中介公司租房?

2. 找中介公司租房还有哪些好处?

（一）听第一遍后回答提示的问题

（二）听第二遍后回答下面的问题

1. 如果你决定租他们的房子，你应该做什么？为什么？

（要跟……签……。以后……，……可以找……。）

2. 如果中介公司帮你找到了满意的房子，你应该怎么做？

（你就要付给……费，也就是……或……的租金。比如……。）

3. 找中介公司应该注意什么？

（一定要……，如果……，……。）

4. 除了看广告和找中介公司以外，还有什么别的租房方式？

5. 这些租房的方式你最愿意使用哪一种？为什么？

（三）小组活动

一个学生扮演租房的人，一个扮演房主或中介公司的工作人员，选一个题目，进行角色对话。

1. 看小广告租房

（①打电话问房子情况；②约好看房子的时间、地点；③看房子后签合同）

2. 找中介公司租房

（①问房子情况；②检查证件（身份证、护照）；③看房、签合同；④交中介费）

第三部分　怎么看合租的问题

 短 文

合租的烦恼　🎧 录音 18

听前讨论
1．你喜欢跟别人合租吗？ 2．你觉得合租有什么好处或麻烦？

词语提示

1．	烦恼	fánnǎo	worry	7．待	dāi	stay
2．	寂寞	jìmò	lonely	8．总算	zǒngsuàn	after all
3．	照顾	zhàogù	look after	9．合租人/室友	hézūrén/shìyǒu	
4．	搞	gǎo	make		person who shares the rent,	
5．	乱七八糟	luànqībāzāo	in a mess		roommate	
6．	意见	yìjiàn	opinion, complaint			

问题提示
1．他刚开始时喜欢自己住吗？后来呢？为什么？ 2．他喜欢室友的朋友经常来吗？为什么？ 3．室友听了他的意见没有？后来情况好点儿了吗？ 4．他以后还想找合租人吗？为什么？

一 听第一遍后回答提示的问题

二 听后猜测下面的词语或句子的意思

1. "要是一个星期来一两次也没什么"，这句话是什么意思？

　　A 来的次数很多，没关系　　　　　　B 来的次数少，没关系

2. "每次他们都把屋子搞得乱七八糟的。"这句话是什么意思？

　　A 他们把屋里的东西弄得很乱　　　　B 屋子里的人很多，很乱

3. "他们在我的房子里就好像在自己家里一样"，从这句话可以知道什么？

　　A "我"喜欢他们在"我"家很随便　　B "我"不喜欢他们在"我"家很随便

4. "上个星期他总算搬走了"，从这句话可以知道什么？

　　A "我"希望他搬走　　　　　　　　B "我"不希望他搬走

三 第二遍分段听，听后复述

1. 他觉得合租有什么好处？

　　(第一……；第二……；第三……；第四……。)

2. 他跟别人合租时遇到了什么问题？

　　(室友的朋友……，经常……，每次……，……很随便，在……就像……一样。最近
他交……，差不多……，他们有时……，在屋子里……，让他很……，只好……。)

四 听后说

　　你在跟别人合租一套房子或合住一个房间时遇到过什么问题？你是怎么解决的？

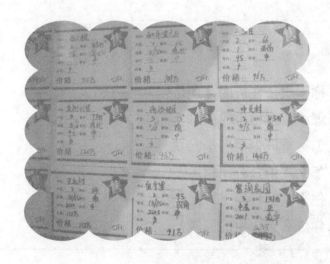

本课小结　住宿2

重 点 词 语

1. 校内/外	xiàonèi/wài	17. 按	àn
2. 锻炼	duànliàn	18. 约好	yuēhǎo
3. 运动场	yùndòngchǎng	19. 符合	fúhé
4. 打扫	dǎsǎo	20. 签合同	qiān hétong
5. 好处	hǎochu	21. 中介费	zhōngjièfèi
6. 自由	zìyóu	22. 调查	diàochá
7. 房东/房主	fángdōng/fángzhǔ	23. 情况	qíngkuàng
8. 邻居	línjū	24. 合法	héfǎ
9. 出租	chūzū	25. 烦恼	fánnǎo
10. 求租	qiúzū	26. 寂寞	jìmò
11. 一居室	yī jūshì	27. 照顾	zhàogù
12. 装修	zhuāngxiū	28. 乱七八糟	luànqībāzāo
13. 家电	jiādiàn	29. 意见	yìjiàn
14. 租金	zūjīn	30. 总算	zǒngsuàn
15. 联系	liánxì	31. 合租人/室友	hézūrén/shìyǒu
16. 要求	yāoqiú		

重 点 问 题

1. 你喜欢住在校内，还是校外？为什么？
2. 怎么了解租房的信息？
3. 怎么看广告租房子？
4. 怎么找中介公司租房子？
5. 你喜欢哪种租房方式？
6. 你怎么看合租的问题？

5 房租可以再商量

现在你已经知道怎么了解租房的信息了，但是你去看房的时候知道怎么跟房东讨价还价吗？如果你现在已经租到了房子，你知道怎么向朋友们介绍自己房子的布局，怎么跟别人讲述自己租房的经历吗？这一课我们要学习怎么说这些话。

本课共分三个部分：

第一部分　怎么介绍房子的布局

第二部分　怎么跟房东谈价钱

第三部分　怎么介绍自己租房的经历

第一部分　怎么介绍房子的布局

短文

哪儿有那么合适的房子　　录音 19

词语提示

1. 布局	bùjú	layout
2. 平面图	píngmiàntú	plan
3. 门厅	méntīng	entrance hall, vestibule
4. 平时	píngshí	in normal times
5. 阳台	yángtái	balcony
6. 种花	zhòng huā(r)	plant flowers

7. 餐厅	cāntīng	dining room
8. 挨着	āizhe	next to
9. 对着	duìzhe	facing

听前准备

1. 请把图下面的词语读一遍，并说明这些房间的用处。
2. 请准备一边听，一边填图。

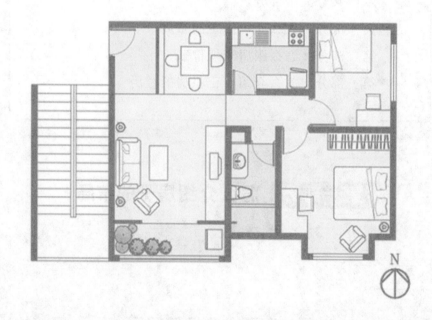

① 客厅　② 阳台　③ 门厅　④ 小餐厅　⑤ 厨房　⑥ 卫生间　⑦ 大卧室　⑧ 小卧室

(一) 听第一遍后填图并回答问题

这是一套什么样的房子？里面有哪些房间？

(二) 听第二遍后回答下面的问题

1. 可以在什么地方换鞋？
2. 在什么地方聊天儿、吃饭？

3. 哪儿有很多花？

4. "我"住在哪个房间？为什么？

5. 房租多少？"我"觉得贵吗？为什么？

6. 他们对房子的哪个部分很满意？为什么？

7. 他们对这套房子不满意的地方是什么？为什么？

8. "哪儿有那么合适的房子呢?"这句话大概是什么意思？

9. "差不多就行了"这句话大概是什么意思？

（三）听第三遍后，请看平面图介绍这套房子的布局

　　一进门是……，再进去就是……，……的南边是……，北边是……，……的旁边是……，……对面是……，挨着……是……，……在……的旁边。我因为……，住在……。我朋友住在……。

第二部分 怎么跟房东谈价钱

对 话

房租可以再商量 🎧 录音20

词语提示		
1. 装修	zhuāngxiū	fit up, decorate
2. 热水器	rèshuǐqì	water heater
3. 周围	zhōuwéi	surroundings
4. 环境	huánjìng	environment
5. 交通	jiāotōng	transport
6. 通地铁	tōng dìtiě	have access to the subway
7. 考虑	kǎolǜ	consider
8. 名片	míngpiàn	name card

问题提示

1．男的是什么人？女的是什么人？
2．看房人对这套房子满意吗？
3．最后这个人决定租了吗？

（一）听第一遍后回答提示的问题

（二）听第二遍后回答下面的问题

1. 这是一套几居室的房子？
2. 看房人对这套房子满意的是什么？不满意的是什么？
3. 这个人想租吗？为什么？
4. 房主觉得这个价钱怎么样？为什么？
5. 房主最后愿意给她便宜一点儿了吗？
6. "你上哪儿去找环境这么好、价钱还这么便宜的房子啊？"这句话是什么意思？
7. 看房的时候应该跟房东说些什么？怎么讨价还价？

（面积、卧室、卫生间、厨房、家具、电器、环境、房租、交通）

（三）小组活动

　　一个人扮演想租房的人，一个人扮演房主，进行角色对话："看房"。

第三部分 | 怎么介绍自己租房的经历

 短 文

我和房东 🎧 录音 21

词语提示		
1. 满口	mǎnkǒu	be full of, (speak) unreservedly
2. 签合同	qiān hétong	sign up a contract
3. 搬	bān	move
4. 商量	shāngliang	discuss
5. 装修费	zhuāngxiūfèi	expense for decoration
6. 条件	tiáojiàn	condition
7. 反正	fǎnzhèng	anyway
8. 按照	ànzhào	according to
9. 饺子	jiǎozi	dumpling
10. 太太	tàitai	wife
11. 机会	jīhuì	opportunity
12. 难得	nándé	hard to get
13. 感觉	gǎnjué	feel
14. 续签(合同)	xùqiān(hétong)	renew the contract

问题提示
1. 她的房东是做什么工作的?
2. 房东出租的是一套什么样的房子?
3. 她喜欢这套房子吗?
4. 她对房东满不满意?

一 听第一遍后回答提示的问题

二 听后选择正确答案

1. "我"的房东是一个说着满口北京话的人，"说着满口北京话"是什么意思？

A 房东不会说北京话

B 房东会说一点儿北京话

C 房东说的是地道的北京话

2. 房东说"你看着办吧"，这句话是什么意思？

A 你应该看看以后再做

B 你想怎么做就怎么做

C 你这样做太随便了

3. "我得把一年的房租一次性付给他"，这句话是什么意思？

A 一年以后付给他房租

B 每个月一次付给他房租

C 把一年的房租全都付给他

4. "还不赶快跟阿姨多练习一下英语？机会难得。"这句话是什么意思？

A 跟外国人练习英语的机会很少

B 跟外国人练习英语很难

C 不要跟外国人练习英语

5. "那种感觉真是棒极了！"这句话是什么意思？

A 那种感觉不太好

B 那种感觉非常好

C 那种感觉是真的

6. "我舍不得搬走了。"这句话什么意思？

A "我"很想搬走

B "我"可能不搬走

C "我"不想搬走

三 第二遍分段听，听后回答问题

1. 她租的这套房子租金多少？租期多长？

2. 她认为租金多少有关系吗？为什么？

3. 她以前住在哪儿？为什么要搬到这儿？

4. 是谁付的装修费？为什么？

5. 房东提出了什么条件？她同意了吗？为什么？

6. 这个房子装修后她觉得怎么样？为什么？

7. 她为什么觉得房东一家人很可爱？

8. 这个房子的租期到了以后她有什么打算？

9. 要是房主提高了房租，她会搬走吗？

（四）小组活动

分组互相介绍自己的租房经历或经验。

1. 你是怎么租到房子的？

2. 租房可能会遇到什么问题？应该怎么解决？

3. 你知道什么租房信息？（比如哪儿的房子又好又便宜。）

4. 你知道哪些租房中介公司或租房网站？

5. 想租房的同学可以向大家询问各种问题。

本课小结　住宿 3

重 点 词 语

1. 布局	bùjú	13. 通地铁	tōng dìtiě
2. 平面图	píngmiàntú	14. 考虑	kǎolǜ
3. 门厅	méntīng	15. 名片	míngpiàn
4. 平时	píngshí	16. 满口	mǎnkǒu
5. 阳台	yángtái	17. 搬	bān
6. 餐厅	cāntīng	18. 商量	shāngliang
7. 挨着	āizhe	19. 装修费	zhuāngxiūfèi
8. 对着	duìzhe	20. 按照	ànzhào
9. 热水器	rèshuǐqì	21. 机会	jīhuì
10. 周围	zhōuwéi	22. 难得	nándé
11. 环境	huánjìng	23. 感觉	gǎnjué
12. 交通	jiāotōng	24. 续签(合同)	xùqiān(hétong)

重 点 问 题

1. 请介绍一下你所住房子的布局。
2. 怎么看房？
3. 怎么跟房东谈价钱？
4. 请介绍一下你的房东或邻居。
5. 请介绍一下你的租房经验或经历。

6 我喜欢北京的四合院

在衣、食、住、行中，对住的选择真是五花八门。你喜欢住在宽敞现代的大饭店，还是喜欢住在清静古老的四合院？你知道今天中国的年轻人在住房方式上是怎么想的，又是怎么做的吗？这一课我们就一起了解一下吧。

本课共分三个部分：

第一部分　介绍自己喜欢的住宿方式
第二部分　介绍不同的住宿文化
第三部分　介绍中国年轻人的租房新观念

第一部分　介绍自己喜欢的住宿方式

短文

这才是真正老北京的生活　录音22

词语提示

1. 游客	yóukè	tourist
2. 整天	zhěngtiān	the whole day
3. 刷牙	shuā yá	brush teeth
4. 洗脸	xǐ liǎn	wash face
5. 逛胡同	guàng hútòng	stroll along the hutong
6. 发现	fāxiàn	discover

7. 电影	diànyǐng	film
8. 叫卖(声)	jiàomài(shēng)	peddler's crying
9. 真正	zhēnzhèng	genuine
10. 老北京	lǎo Běijīng	old Beijing style

图片提示

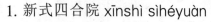

1. 新式四合院 xīnshì sìhéyuàn

2. 胡同 hútòng

3. 公园 gōngyuán

问题提示

1. 他刚来北京的时候住在什么地方？
2. 他喜欢住在那儿吗？为什么？
3. 他想住在什么地方？
4. 他听朋友的话后租这样的房子了吗？为什么？
5. 最后他租到满意的房子了没有？

（一）听第一遍后回答提示的问题

（二）第二遍分段听，听后回答下面的问题

1. 后来他发现了什么？
2. 他为什么很喜欢这儿？
3. 这儿还有什么地方让他特别满意？

（三）听后复述　"他最想过的生活"

在……的旁边还有……，每天早上……在……。就像……一样，只要你一……，就能听到……里有……的声音，这是真正……的生活，是他一直最……。

（四）小组活动

请说说你最想过什么样的生活。

两个人一组，互相介绍自己喜欢的居住环境，然后一个人向大家介绍另一个人的喜好。（喜欢住传统的老房子，还是现代化的大楼，喜欢什么样的环境等，并说明为什么。）

第二部分　介绍不同的住宿文化

 短文

北京有个韩国城　录音23

词语提示		
1. 小区	xiǎoqū	residential community
2. 大约	dàyuē	roughly
3. 万	wàn	ten thousand
4. 集中	jízhōng	concentrate
5. 保姆	bǎomǔ	maid
6. 店员	diànyuán	shop assistant
7. 路标	lùbiāo	road sign
8. 交往	jiāowǎng	associate, association
9. 反倒	fǎndào	contrary to one's wish
10. 参加	cānjiā	participate in
11. 相处	xiāngchǔ	get along

图片提示

1. 韩国餐馆
Hánguó cānguǎn

2. 跆拳道馆
táiquándào guǎn

3. 棋馆
qíguǎn

4. 小区活动
xiǎoqū huódòng

问题提示

1．为什么北京的望京小区被叫做"韩国城"？
2．一句汉语都不会说的韩国人，能在望京小区生活吗？为什么？

（一）听第一遍后回答提示的问题

（二）听第二遍后回答下面的问题

1. 为什么有的韩国人来中国很多年也不会说汉语？

2. 生活在望京小区的中国人有什么感觉？为什么？

3. 有些韩国人是怎么跟中国人一起生活的？他们跟中国邻居的关系怎么样？

4. "到处可见" "大多" "差不太多" "反倒" 这些词大概是什么意思？

5. 你们国家有没有像"韩国城"这样的地方？请简单介绍一下那儿的情况。

（三）小组活动

　　讨论：如果生活在国外，你喜欢住在自己国家的人比较集中的地方吗？为什么？
几个人一组，每个人说明自己的观点，最后组长向全班作以下总结：

住在自己国家的人比较集中的地方	
好处	不好的地方

第三部分 介绍中国年轻人的租房新观念
——异性合租

对 话1(现场采访)

我觉得没什么 ⌒ 录音24

词语提示		
1. 异性	yìxìng	opposite sex
2. 合租	hézū	share a rented room
3. 流行	liúxíng	popular
4. 采访	cǎifǎng	interview
5. 在意	zàiyì	mind
6. 性别	xìngbié	sex
7. 影响	yǐngxiǎng	influence
8. 注意	zhùyì	pay attention to
9. 尽量	jǐnliàng	do as much as one can
10. 避开	bìkāi	avoid
11. 有感情	yǒu gǎnqíng	have affections for

问题提示

1. 什么是"异性合租?"
2. 他对"异性合租"是同意还是反对?

一 听第一遍后回答提示的问题

二 听第二遍后回答下面的问题

1. 如果是他租房子,他会在意合租人的性别吗?为什么?

2. 他觉得"异性合租"的人应该注意些什么?

3. 记者觉得"异性合租"会有什么可能?这个男的是怎么看的?

对 话 2(现场采访)

我以后不会这样租房了   录音 25

词语提示

1. 同事	tóngshì	colleague
2. 两居室	liǎng jūshì	a two-room apartment
3. 省钱	shěng qián	save money, economical
4. 平时	píngshí	at normal times
5. 老家	lǎojiā	hometown
6. 早出晚归	zǎo chū wǎn guī	go out early and come back late
7. 单独	dāndú	alone
8. 蟑螂	zhāngláng	cockroach
9. 吓	xià	frighten
10. 脸红	liǎn hóng	blush

问题提示

1．她同意还是反对"异性合租"？
2．她为什么会有这样的看法？

（一）听第一遍后回答提示的问题

（二）听第二遍后回答下面的问题

1．她当初为什么同意这样租房？
2．刚开始时他们相处得怎么样？
3．她后来为什么每天早出晚归？
4．最后她为什么搬走了？
5．记者调查的结果怎样？

（三）听后讨论

你对"异性合租"怎么看？你会这样租房吗？为什么？

本课小结 住宿 4

重 点 词 语

1. 刷牙	shuā yá	16. 异性	yìxìng
2. 洗脸	xǐ liǎn	17. 流行	liúxíng
3. 逛胡同	guàng hútòng	18. 在意	zàiyì
4. 发现	fāxiàn	19. 性别	xìngbié
5. 叫卖(声)	jiàomài(shēng)	20. 影响	yǐngxiǎng
6. 真正	zhēnzhèng	21. 注意	zhùyì
7. 老北京	lǎo Běijīng	22. 尽量	jǐnliàng
8. 小区	xiǎoqū	23. 避开	bìkāi
9. 大约	dàyuē	24. 有感情	yǒu gǎnqíng
10. 集中	jízhōng	25. 同事	tóngshì
11. 保姆	bǎomǔ	26. 省钱	shěng qián
12. 店员	diànyuán	27. 早出晚归	zǎo chū wǎn guī
13. 交往	jiāowǎng	28. 单独	dāndú
14. 路标	lùbiāo	29. 脸红	liǎn hóng
15. 相处	xiāngchǔ		

重 点 问 题

1. 你喜欢住传统的房子，还是现代化的大楼？为什么？

2. 你们国家有像"韩国城"这样的地方吗？请介绍一下那儿的情况。

3. 你在国外喜欢住在自己国家的人比较集中的地方吗？为什么？

4. 你怎么看"异性合租"的问题？

5. 你喜欢什么样的住宿方式和文化？

7

我该买哪种火车票

旅行1

虽然你来中国的时间不长，汉语说得还不是太好，但是你一定很想自己背着背包出去旅行吧？你知道怎么在中国旅行、怎么自己买火车票、怎么能看懂火车票和火车时间表吗？这一课要介绍一些在中国旅游的常识，希望能帮助你减少一些出门旅行的麻烦。

本课共分四个部分：

第一部分　介绍中国的火车

第二部分　介绍火车票的种类

第三部分　怎么看中国的火车票

第四部分　怎么买火车票

第一部分　介绍中国的火车

介绍

中国火车的种类　🎧 录音 26

词语提示		
1. 新式	xīnshì	new type
2. 列车	lièchē	train
3. 简称	jiǎnchēng	shortened form
4. 高速	gāosù	high speed
5. 速度	sùdù	speed
6. 公里	gōnglǐ	kilometer

7. 字母	zìmǔ	letter
8. 代号	dàihào	code
9. 直达	zhídá	nonstop
10. 停车	tíng chē	stop, park
11. 站	zhàn	station
12. 快速	kuàisù	fast
13. 普通	pǔtōng	general，ordinary

图片提示

快 车

1. 高速列车（CRH）
D D字头列车（动车组）　白

2. Z 直达快车（直快）
3. T 特别快车（特快）　蓝

4. K 快速列车（快速）
5. N 普通快车（普快）　红

慢 车

普通客车（普客）
普通慢车　绿

问题提示

1．中国火车的快车有几种？慢车呢？

2．哪种车最快？哪种车最慢？

3．中国不同种类的火车各是什么颜色的？

一 听第一遍后回答提示的问题

二 听第二遍后回答下面的问题

1. 中国这几种快车分别叫什么？简称各是什么？字母代号各是什么？

2. 这几种快车的速度有什么不同？为什么？

3. 慢车的简称和字母代号是什么？

4. 怎么从颜色上知道它们是快车还是慢车？

5. 如果出去旅行，你会选择坐什么车？

三 看图片，用上下列词语介绍中国的火车

火车	快车	高速列车（CRH）D	新式车	现在最快	白
		直达快车（直快）Z	不停车	以前最快	蓝
		特别快车（特快）T	大站停	比……慢	
		快速列车（快速）K		比……慢	红
		普通快车（普快）N		跟……差不多	绿
	慢车	普通客车（普客）	每站停	最慢	

第二部分 介绍火车票的种类

 对 话

我该买哪种火车票 🎧 录音 27

词语提示						
1. 座位	zuòwèi	seat	5. 硬	yìng	hard
2. 车厢	chēxiāng	carriage	6. 软	ruǎn	soft
3. 卧	wò	sleeping	7. 票价	piàojià	ticket price
4. 铺	pù	berth	8. 爬	pá	climb

图片提示

1. 硬座车厢

2. 软座车厢

3. 硬卧车厢（上铺、中铺、下铺）

4. 软卧车厢（上铺、下铺）

5. D 字头列车：一等车厢　　　　　　　　二等车厢　　　　　　　　洗手间

问题提示

1．中国的火车票主要分几种？
2．它们各有哪几种票？
3．哪种票最便宜？哪种票最贵？
4．硬卧的票价都一样吗？为什么？

（一）听第一遍后回答提示的问题

（二）听第二遍后回答下面的问题

1．大卫不想买什么票？为什么？

2．他觉得买什么票好？为什么？

3．大卫喜欢上铺吗？为什么？

4．田芳开始时建议大卫买什么票？为什么？大卫同意了吗？为什么？

5．他最后决定买什么火车票？为什么？

三　看下面的图示介绍中国火车票的种类。

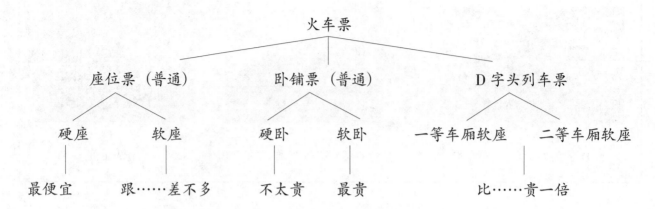

```
                          火车票
        ┌───────────────────┼───────────────────┐
   座位票（普通）        卧铺票（普通）        D字头列车票
    ┌─────┴─────┐       ┌─────┴─────┐      ┌──────┴──────┐
  硬座        软座      硬卧        软卧   一等车厢软座  二等车厢软座
    │           │        │           │            └──────┬──────┘
 最便宜    跟……差不多   不太贵      最贵            比……贵一倍
```

第三部分　怎么看中国的火车票

 介 绍

认识火车票　🎧 录音 28

词语提示

1.	始发站	shǐfāzhàn	starting station
2.	终点站	zhōngdiǎnzhàn	terminal station
3.	火车站	huǒchēzhàn	railway station
4.	西客站	Xīkèzhàn	West Train Station
5.	车次	chēcì	train number
6.	发车	fā chē	depart
7.	铺位	pùwèi	berth
8.	种类	zhǒnglèi	category
9.	空调	kōngtiáo	air-conditioning
10.	限	xiàn	limit
11.	当日	dàngrì	the very day
12.	有效	yǒuxiào	valid
13.	办理	bànlǐ	handle, go through
14.	手续	shǒuxù	procedure

图片提示

一张火车票

听后看火车票回答问题

1. 这张火车票的始发站是哪儿？终点站是哪儿？

2. 坐车的人应该在哪儿上车？

3. 火车的车次是多少？

4. D37 次、Z21 次、T55 次、K232 次、N169 次、2076 次分别是什么火车？

5. 这张票是哪天的？几点开车？

6. 拿这张票的人应该坐在哪种车厢？

7. 这是什么种类的火车？

8. "硬座快速卧""硬座普快卧""软座特快卧"大概是什么意思？

9. 这张车票的票价是多少？

10. 车票上的始发站如果是"北京"，应该在哪儿上车？
    如果是"北京西"，应该在哪儿上车？

11. "限坐当日当次车"是什么意思？

第四部分　怎么买火车票

 对 话

你要卧铺票还是座位票　⌒ 录音 29

问题提示

1．他买了一张哪天的去什么地方的火车票？
2．这是什么火车？车次是多少？
3．什么时候发车？什么时候到？
4．这是什么座位或铺位的票？票价多少？
5．请准备一边听，一边填表。

（一）听第一遍后，填下面的表并回答提示的问题

日期	去的地方	快/慢车	车次	开车时间	到达时间	硬卧/软卧/铺位	票价

（二）听第二遍后看表说明

他买了一张什么火车票？

认识火车时刻表　🎧 录音 30

词语提示
1. 运行　　yùnxíng
2. 区段　　qūduàn
3. 终到　　zhōngdào

信息提示

直达、特别快车时刻表

车次	运行区段	开车时间	终到时间	旅行时间	空调	硬座票价	硬卧票价	软卧票价
T103	北京—上海	20:08	09:32	13 小时 24 分	✓	179	327	499
T31	北京—杭州	15:39	06:26	14 小时 47 分	✓	194	353	539
Z49	北京—南京	22:02	07:14	9 小时 12 分	✓	150	274	417
T7	北京西—成都	16:56	17:59	25 小时 03 分	✓	231	418	642
T15	北京西—广州	11:00	07:35	20 小时 35 分	✓	235	458	705
T17	北京—哈尔滨	21:26	08:26	11 小时	✓	154	281	429
T41	北京西—西安	19:03	06:44	11 小时 41 分	✓	150	274	417
D533	北京—天津	08:05	09:16	1 小时 11 分	✓	一等座 50，二等座 42		

一　听后回答问题

1. 什么人最需要火车时刻表？

2. 还可以从什么地方看到火车时间表？

3. 火车时刻表上一般会告诉你什么信息？

二　小组活动

分组练习认识火车时刻表。

两个人一组，互相问答：

1. ……次列车是从什么地方到什么地方的？

2. 这次车什么时候开？什么时候到达？一共要坐多长时间？有没有空调？

3. 硬座票多少钱？软座票多少钱？软卧票呢？

（三）分角色表演买火车票 (根据火车时刻表)

1. 如果你还不知道火车的具体车次，可以这样说：

　　：小姐，我要买＿＿＿＿（地点）＿（快慢车）＿票。

　　：要＿＿＿（问日期）＿＿＿发车的？

　　：＿＿＿＿＿＿＿＿＿＿＿。

　　：＿＿＿＿次，＿＿＿发车，可以吗？

　　：＿＿＿＿＿＿。

　　：你要＿＿＿＿（座位或卧铺）＿＿＿＿＿＿？

　　：＿＿＿＿＿＿＿＿＿＿＿＿。

　　：要＿＿＿（硬、软）＿＿＿＿＿？

　　：＿＿＿＿＿＿＿＿＿＿。

　　：＿＿＿＿（铺位）＿＿＿？

　　：＿＿＿＿＿＿＿＿＿。

　　：＿＿＿＿＿＿元。

　　：＿＿＿＿＿＿！

2. 如果你已经知道火车的具体车次，可以这样说：

　　：小姐，我要买一张（日期、地点、车次、铺位、座位）的票。

　　：＿＿＿＿＿＿元。

　　：＿＿＿＿＿＿！

（四）听后讨论

1. 要是你从北京去杭州旅行，你会买什么票？为什么？ （从北京到杭州 14 小时 47 分钟）

2. 要是你想从北京去上海旅行，你会买什么票？为什么？ （需要 13 个小时 24 分钟）

3. 要是你想从北京去广州旅行，你会买什么票？为什么？ （需要 20 小时 35 分钟）

4. 你出去旅行一般会买什么火车票？为什么？

本课小结　旅行 1

重 点 词 语

1. 新式	xīnshì		15. 卧铺	wòpù
2. 列车	lièchē		16. 硬	yìng
3. 简称	jiǎnchēng		17. 软	ruǎn
4. 高速	gāosù		18. 票价	piàojià
5. 速度	sùdù		19. 始发站	shǐfāzhàn
6. 公里	gōnglǐ		20. 终点站	zhōngdiǎnzhàn
7. 字母	zìmǔ		21. 车次	chēcì
8. 代号	dàihào		22. 发车	fā chē
9. 直达	zhídá		23. 铺位	pùwèi
10. 停车站	tíngchēzhàn		24. 种类	zhǒnglèi
11. 快速	kuàisù		25. 限	xiàn
12. 普通	pǔtōng		26. 当日	dàngrì
13. 座位	zuòwèi		27. 有效	yǒuxiào
14. 车厢	chēxiāng			

高速列车(D 字头列车)——白色　直达快车(直快)　特别快车(特快)——蓝色
快速列车(快速)　普通快车(普快)——红色　普通客车(普客)——绿色
软座　硬座　卧铺　软卧　硬卧　上铺　中铺　下铺
票价　一等车厢　二等车厢

重 点 问 题

1. 中国有哪些种类的火车？它们之间有什么不同？
2. 中国有哪些种类的火车票？它们之间有什么不同？
3. 你去旅行时一般买哪种火车票？为什么？
4. 火车时刻表上一般会告诉你什么？
5. 怎么买火车票？

8 假期你打算怎么过

买到火车票后，你高高兴兴地背着旅行包走进火车站，该进站上车了。你能听懂火车站的广播吗？知道怎么找到你要上的火车吗？你知道中国哪些地方最好玩吗？你会不会定自己的旅行计划？这一课我们要学习旅行时需要知道的一些常识。

本课共分四个部分：

第一部分　怎么听火车站的广播

第二部分　谈论怎么去旅行

第三部分　全国旅游区介绍

第四部分　怎么订旅行计划

第一部分　怎么听火车站的广播

🎧 录音 31

词语提示

1. 旅客	lǚkè	traveler
2. 开往	kāiwǎng	leave for
3. 检票	jiǎn piào	check the ticket
4. 进站	jìn zhàn	pull into the station
5. 方向	fāngxiàng	direction
6. 中途	zhōngtú	midway

7. 运行	yùnxíng	move
8. 餐车	cānchē	dining car
9. 服务	fúwù	service
10. 要求	yāoqiú	request
11. 希望	xīwàng	hope
12. 旅途	lǚtú	journey
13. 愉快	yúkuài	happy

广播1

火车站大厅的广播　◯ 录音 31

听后回答问题

1. 广播里说的是哪次列车?
2. 这次列车是开往什么地方的?
3. 这次列车会经过哪些地方?
4. "检票口"大概是什么地方?
5. 乘坐这次车的人听到广播后应该怎么做?

广播2

火车上的广播　◯ 录音 32

听后回答问题

1. 这是哪次列车?
2. 这次车的始发站是哪儿?终点站呢?
3. 路上一共要用多长时间?
4. 火车什么时候到达终点站?
5. 如果你在火车上想吃饭,应该去什么地方?
6. 晚上8点以后还可以在火车上买到饭吗?

第二部分　谈论怎么去旅行

 对 话

我喜欢坐火车 🎧 录音 33

词语提示		
1. 暑假	shǔjià	summer vacation
2. 有劲儿	yǒu jìnr	be enthusiastic
3. 到处	dàochù	everywhere
4. 风景	fēngjǐng	landscape
5. 躺	tǎng	lie down
6. 受得了	shòudeliǎo	stand
7. 硬/软卧	yìng/ruǎnwò	hard/soft sleeper
8. 担心	dān xīn	feel worried about
9. 掉	diào	drop，fall off
10. 怕死	pà sǐ	fear death

问题提示
1．女的喜欢怎么去旅行？不喜欢怎么去？
2．男的喜欢怎么去旅行？不喜欢怎么去？

一 听第一遍后回答提示的问题

二 听第二遍后回答下面的问题

1. 放假后女的有什么打算？男的有什么打算？

2. 女的为什么喜欢这样去旅行？男的为什么不喜欢？

3. 男的为什么喜欢那样去旅行？女的为什么不喜欢？

4. 去远的地方男的会怎么做？

5. 女的最后明白了什么？

三 听后猜测词语或句子的意思

1. "哪儿还有劲儿到处去玩儿呢"，这句话大概是什么意思？

2. "不管怎么说"大概在什么时候说？

3. "得了吧"大概在什么时候说？

4. "想跑都跑不了。"这句话大概是什么意思？

5. "哦，原来……"大概在什么时候说？

四 听后说

请看下面的表，说说他们不同的看法。

	坐飞机	坐火车
女的	……快，……舒服，一两个小时……。	……慢，……很长时间，……累，没劲儿去……。要坐……，……受不了。卧铺票也……，……不如……。
男的	……没有风景，……没意思。……不能躺，……很累，……总担心……掉下来，……跑不了。	……看风景，……聊天儿，……累了，……走走。只要觉得有意思，就……。去远的地方，……卧铺票，……累了睡觉，……看书，……舒服。……硬卧票，比……便宜。

五 分组讨论

你喜欢怎么去旅行？是坐飞机还是坐火车？为什么？

两个人一组，先互相询问，请一个人向大家说明他们的意见是否一样，然后各自说明为什么。

第三部分 全国旅游区介绍

介绍

全国主要的旅游区 🎧 录音 34

词语提示		
1. 地区	dìqū	district
2. 景点	jǐngdiǎn	scenic spot
3. 冰灯	bīngdēng	ice lantern
4. 草原	cǎoyuán	grassland
5. 石窟	shíkū	grotto
6. 兵马俑	bīngmǎyǒng	terra cotta figures of warriors and horses
7. 园林	yuánlín	garden
8. 商业贸易	shāngyè màoyì	trade
9. 自然风景区	zìrán fēngjǐngqū	natural scenery zone
10. 经济特区	jīngjì tèqū	special economic zone
11. 山水	shānshuǐ	mountains and waters
12. 热带	rèdài	tropical area
13. 风光	fēngguāng	landscape
14. 名胜古迹	míngshèng gǔjì	scenic spots and historic sites

3. 西安

2. 洛阳

1. 大同

1. 哈尔滨

2. 延吉

3. 乌兰浩特

A

1. 苏州、杭州

2. 上海

3. 黄山

B

C

3. 九寨沟

E

1. 成都

2 峨眉山

D

1. 广州、深圳

2. 桂林

3. 海南岛

图　例

★ 北京　首都

○ 天津　省级行政中心

未定　国界

省、自治区、
直辖市界

特别行政区界

1:30 000 000

审图号：GS(2016)2893号
国家测绘地理信息局 监制

图片提示

1. 哈尔滨的冰灯

2. 长白山

3. 内蒙古大草原

4. 云冈石窟　　　　　5. 龙门石窟　　　　　6. 西安兵马俑

7. 苏州园林　　　8. 杭州西湖　　　9. 上海　　　10. 黄山

11. 广州　　　深圳　　　12. 桂林　　　13. 海南岛

14. 成都杜甫草堂　　　15. 峨眉山　　　16. 九寨沟

听后根据旅游图回答下面表里的问题，并在相应的旅游区类别中画"√"

	有哪些主要的旅游区？	有哪些旅游景点？	哪些是自然风景？	哪些是名胜古迹？	哪些是城市？
A 区：东北地区					
B 区：中西部地区					
C 区：东部地区					
D 区：南部地区					
E 区：西南部地区					

第四部分 怎么订旅行计划

 对 话

假期你打算怎么过 🎧 录音 35

词语提示

1. 计划	jìhuà	plan	10. 花钱	huā qián	spend money
2. 国庆节	Guóqìng Jié	National Day	11. 路费	lùfèi	traveling expenses
3. 假期	jiàqī	holiday			
4. 路线	lùxiàn	route	12. 旅馆	lǚguǎn	hotel
5. 安排	ānpái	arrange	13. 所有	suǒyǒu	all
6. 大巴	dàbā	coach	14. 费用	fèiyong	cost
7. 夜	yè	night	15. 加起来	jiā qilai	put together
8. 白天	báitiān	day	16. 超过	chāoguò	exceed
9. 正合适	zhèng héshì	fit nicely			

问题提示

1. 大卫假期打算怎么过?

2. 他的旅行路线是什么? 一共要玩儿几天?

3. 他怎么去这些地方?

(一) 听第一遍后回答提示的问题

(二) 听第二遍后回答下面的问题

1. 田芳觉得大卫的这个旅行计划怎么样?

2. 大卫这次旅行所有的费用加起来大概是多少? 为什么这么便宜?

3. "哪儿啊?"大概在什么时候说?

4. "你可真会玩儿!"大概是什么意思?

5. 大卫下次愿意带田芳一起去旅行吗?

三 听后说

根据下面的主要词语,把大卫这七天的旅行计划说出来。

旅行路线	先……,再……,然后……,最后……。
时间安排	
9 月 30 号	晚上从……坐……去……。
10 月 1 号	到……,在……玩儿……天,……坐……去……,在……住……夜,玩儿……天。
10 月 2 号	坐……去……,在……玩儿……天。
10 月 4 号	从……坐……去……,在……玩儿……天。
10 月 6 号	坐……回……。
10 月 7 号	……到……。

四 小组活动

分组订一个旅行计划,然后用地图进行介绍(选下面一个题目)。

1. 如果你有一个星期的时间,你会去什么地方旅游?

2. 如果你有两个星期的时间,你会去什么地方旅游?

(请用上面的主要词语,说明你的旅游路线、时间安排、游览景点等。)

本课小结　旅行2

重 点 词 语

1. 旅客	lǚkè		22. 冰灯	bīngdēng
2. 开往	kāiwǎng		23. 草原	cǎoyuán
3. 检票	jiǎn piào		24. 商业贸易	shāngyè màoyì
4. 进站	jìnzhàn		25. 自然风景区	zìrán fēngjǐngqū
5. 方向	fāngxiàng		26. 特区	tèqū
6. 中途	zhōngtú		27. 热带	rèdài
7. 运行	yùnxíng		28. 名胜古迹	míngshèng gǔjì
8. 餐车	cānchē		29. 计划	jìhuà
9. 服务	fúwù		30. 国庆节	Guóqìng Jié
10. 要求	yāoqiú		31. 假期	jiàqī
11. 希望	xīwàng		32. 路线	lùxiàn
12. 旅途	lǚtú		33. 安排	ānpái
13. 愉快	yúkuài		34. 夜	yè
14. 暑假	shǔjià		35. 白天	báitiān
15. 到处	dàochù		36. 花钱	huā qián
16. 风景	fēngjǐng		37. 路费	lùfèi
17. 躺	tǎng		38. 旅馆	lǚguǎn
18. 受得了	shòudeliǎo		39. 所有	suǒyǒu
19. 担心	dān xīn		40. 费用	fèiyong
20. 地区	dìqū		41. 加起来	jiā qilai
21. 景点	jǐngdiǎn		42. 超过	chāoguò

重 点 问 题

1. 火车站大厅的广播一般会告诉你什么？
2. 火车上的广播一般会告诉你什么？
3. 你喜欢坐飞机还是坐火车旅行？为什么？
4. 请介绍中国几个著名的旅游景点。
5. 请介绍一下你的旅行计划。

我要订一张机票

　　因为飞机的快捷和方便，很多人出去旅行还是愿意坐飞机。你了解中国的航空公司吗？你会在中国订飞机票吗？能不能听懂机场的广播？去机场接朋友或坐飞机的时候，如果遇到了问题，会不会向中国人询问？这些情况，在这一课我们都会了解到。

　　本课共分四个部分：

第一部分　介绍中国的航空公司

第二部分　怎么订飞机票

第三部分　怎么听机场的广播

第四部分　怎么在机场询问

第一部分　介绍中国的航空公司

中国的民航　🎧 录音 36

词语提示		
1. 民航	mínháng	civil aviation
2. 字母	zìmǔ	letter
3. 代号	dàihào	code name
4. 标志	biāozhì	mark
5. 乘客	chéngkè	passenger
6. 客机	kèjī	passenger flight

7. 航班	hángbān	flight number
8. 机型	jīxíng	type(of an aircraft)
9. 波音	bōyīn	Boeing

图片提示 1

图片提示2

1. 中国国航 CA551　（B737）

2. 中国国航 CA098　（B777）

问题提示

1．中国民航有几个主要的航空公司？

2．中国还有哪些民用航空公司？

3．这些航空公司的简称和代号各是什么？

（一）听第一遍后回答提示的问题

（二）听第二遍后回答下面的问题

1. 什么是客机？

2. 什么是航班号？

3. CA177、CZ132 分别是什么航空公司的航班？

4. 图片提示 2 中这两架飞机的机型有什么不一样？

（三）听后说

看图片提示 1 介绍中国的航空公司。

介绍 2

飞机的票价　🎧 录音 37

词语提示

1. 舱位	cāngwèi	cabin seat, berth
2. 单程	dānchéng	one-way
3. 双程	shuāngchéng	round-trip
4. 往返	wǎngfǎn	journey to and fro
5. 淡季	dànjì	slack season
6. 旺季	wàngjì	busy season
7. 打折	dǎ zhé	discount

图片提示

1. 经济舱 jīngjìcāng

2. 商务舱 shāngwùcāng

3. 头等舱 tóuděngcāng

问题提示

1. 什么是早班机？什么是晚班机？
2. 客机的舱位一般有几种？
3. 什么是单程票？什么是双程票？
4. 什么时候是旅游旺季？什么时候是旅游淡季？

一 听第一遍后回答提示的问题

二 听第二遍后回答下面的问题

1. 一天中什么时间的飞机票最便宜？

2. 什么舱位的票最便宜？什么票最贵？

3. 双程票也叫什么？买什么票便宜？请举例说明。

4. 什么季节的飞机票会打折？

5. 怎样才能少花钱坐飞机去旅行？

三 看下列信息说明飞机的票价

票价
- 早、晚班机（早晚9点前后）　　便宜
- 头等舱　　最贵
- 商务舱　　比较贵
- 经济舱　　最便宜
- 单程票　　贵
- 双程票　　比……便宜
- 旺季　　贵
- 淡季　　打折

第二部分 怎么订飞机票

 对 话

我要订一张机票　🔊 录音 38

词语提示					
1. 售票处	shòupiàochù	ticket office	5. 送票	sòng piào	deliver the ticket
2. 预订	yùdìng	book	6. 电子客票	diànzǐ kèpiào	electronic ticket
3. 折	zhé	discount			
4. 提前	tíqián	in advance	7. 护照	hùzhào	passport

问题提示

1. 大卫在给谁打电话?
2. 他要订去哪儿的飞机票?是单程的还是双程的?
3. 他要订哪一天、什么时间的班机?
4. 他要坐的这个班机是哪个航空公司的?
5. 他要买什么舱位的票?

一 听第一遍后回答提示的问题

二 听第二遍后回答下面的问题

1. 大卫订的票比平时的便宜吗?
2. 给他便宜了多少?一共花了多少钱?
3. 应该怎么拿票?还有什么拿票的方法?大卫想怎么做?
4. 请说说应该怎么订飞机票。

（日期、地点、单/双程票、舱位、航空公司、航班、机型、票价、折扣、怎么拿票）

三 情景对话

两个人一组，根据某机票网的飞机时刻表，分角色表演："打电话订机票"。

航班时刻表							
航班行程	航空公司	航班号	起飞时间	到达时间	班期	机型	打折价（单程）
北京-上海	上航	FM9406	11：20	13：20	1234567	JET	450元
北京-上海	国航	CA1831	07：40	09：50	..3.5.7	777	340元
北京-广州	国航	CA174	14：55	17：50	1...5..	777	510元
北京-上海	海航	HU7603	17：00	18：40	1234567	733	450元
北京-济南	国航	CA1156	15：25	16：20	1234567	738	380元
北京-哈尔滨	南航	CZ6206	21：00	22：40	1.34...	M90	290元
北京-杭州	海航	HU7177	19：45	21：35	....5..	733	460元
北京-西安	国航	CA1223	12：10	13：50	....5.7	JET	420元

北京–西安	国航	CA1203	07：25	09：10	1234567	733	320 元
北京–香港	国航	CA109	12：55	16：25	....5..	JET	1160 元
北京–上海	上航	FM9120	22：00	23：50	1234567	738	340 元
北京–南宁	深航	ZH9592	13：50	17：05	12.4567	73G	540 元
北京–成都	海航	HU7141	16：50	19：25	1234567	733	580 元
北京–海口	国航	CA1379	07：30	11：10	1234567	757	450 元
北京–烟台	山航	SC4856	22：40	23：40	....5.7	733	280 元

第三部分　怎么听机场的广播

广　播

机场大厅的广播　　录音 39

词语提示

1. 飞往	fēiwǎng	fly to
2. 起飞	qǐfēi	take off
3. 亲友	qīnyǒu	friends and relatives
4. 飞至	fēizhì	fly to
5. 原因	yuányīn	reason
6. 晚点	wǎn diǎn	late
7. 到达	dàodá	arrival
8. 谅解	liàngjiě	understanding
9. 降落	jiàngluò	land
10. 出口	chūkǒu	exit
11. 登机口	dēngjīkǒu	boarding gate

问题提示

1. 广播中说到了几个航班?
2. 它们是从哪儿飞到哪儿的?
3. 它们起飞或降落了没有?

（一）听第一遍后给下面的航班连线，然后回答提示的问题

ZH315 航班   西安–北京   降落

CA523 航班   北京–成都   起飞

SU120 航班   广州–北京   晚点

（二）听第二遍后回答下面的问题

1. 将要起飞的航班还有多长时间起飞?
2. 乘坐这个航班的乘客应该在哪儿上飞机?
3. 其中一个航班为什么晚点了?
4. 接亲友的人应该在哪儿等?
5. 这三个航班分别是哪个航空公司的?

（三）听后说

请按照上面练习一的内容，把这个广播内容大概说一遍。

对 话 1

我该在哪儿上飞机 🎧 录音 40

词语提示

1. 登机牌	dēngjīpái	boarding pass
2. 登机口	dēngjīkǒu	boarding entrance
3. 行李	xíngli	luggage
4. 称	chēng	weigh
5. 超重	chāo zhòng	be overweight
6. 靠(窗户)	kào(chuānghu)	by (the window)
7. 延迟	yánchí	delay
8. 准确	zhǔnquè	punctual
9. 电子屏幕	diànzǐ píngmù	electronic screen

图片提示

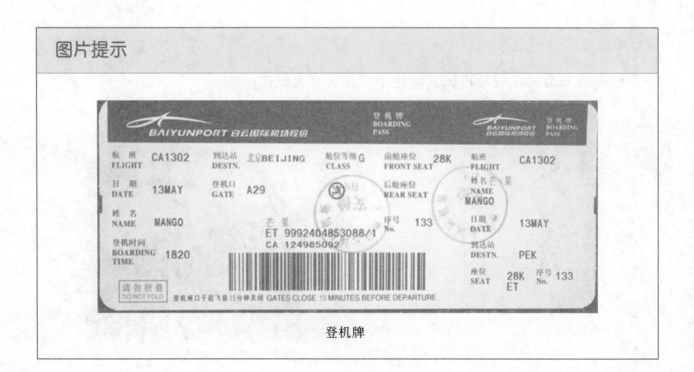

登机牌

听后回答问题

1. 大卫要去哪儿？他的行李超重了吗？

2. 他应该在哪个登机口上飞机？

3. 这个登机口在哪儿？

4. 他的座位号是多少？靠窗户吗？

5. 他在飞机上能吃到早饭吗？

6. 他什么时候可以上飞机？

7. 登机牌上一般都有什么内容？

 对话2

ZH315 航班什么时候能到　🎧 录音 41

（一）听后回答问题

1. 大卫到机场做什么？

2. ZH315 航班因为什么原因晚点了？晚点多长时间？

3. 这班飞机什么时候能到？大卫应该注意什么？

4. 大卫为什么说"真倒霉"？他该怎么办呢？

5. 大卫应该在哪儿接朋友？

（二）情景对话

机场电子屏幕

航班号 Flight No	终点站 To	计划出港 STD	变更 ETD	柜台 Counter	备注 Remark
CA1102A	呼和浩特 Hohhot	07:00	08:30	F-G	upplementar
CA1130A	呼和浩特 Hohhot	07:00	08:30	F-G	upplementa
CA1203	西安 Xi An	07:30	09:30	F-G	
HU7175A	呼和浩特 Hohhot	07:30		H03-H14	Supplement
HU7615	东营 Dongying	07:30	08:50	H03-H14	
HU7625	通辽 Tongliao	07:30		H03-H14	celled
HU7101	海拉尔 Hailar	07:35	07:50	H03-H14	登机 Board
CA1217	银川 Yinchuan	07:40		F-G	登机 Boar
CA1403	昆明 Kunming	07:40		F-G	即登机 La
CA1831	曲靖 Qiao	07:40		F-G	即登机 L

请看登机牌或机场电子屏幕，分角色练习询问：

1. 登机 （登机口 座位 靠窗户 早/中/晚餐）

2. 接亲友 （从……飞到……的……航班 降落 晚点 出口等候）

参考资料

电子机票的订票和使用

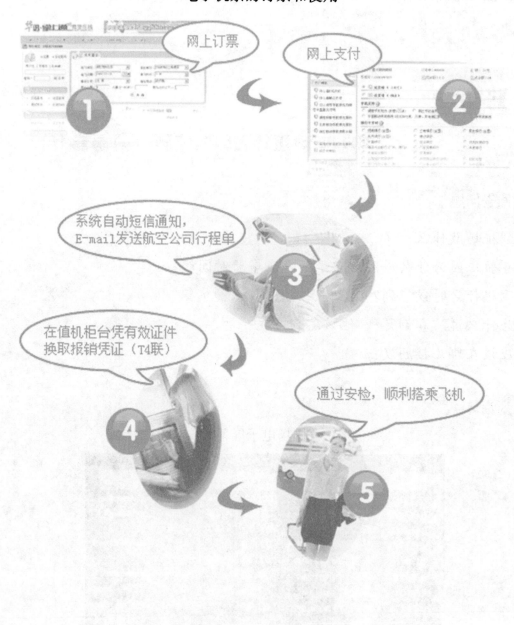

本课小结　旅行3

重点词语

1.	民航	mínháng	22.	护照	hùzhào
2.	标志	biāozhì	23.	飞往	fēiwǎng
3.	乘客	chéngkè	24.	起飞	qǐfēi
4.	客机	kèjī	25.	亲友	qīnyǒu
5.	航班	hángbān	26.	飞至	fēizhì
6.	机型	jīxíng	27.	原因	yuányīn
7.	舱位	cāngwèi	28.	晚点	wǎndiǎn
8.	单程	dānchéng	29.	到达	dàodá
9.	双程	shuāngchéng	30.	谅解	liàngjiě
10.	往返	wǎngfǎn	31.	降落	jiàngluò
11.	淡季	dànjì	32.	登机牌	dēngjīpái
12.	旺季	wàngjì	33.	出口	chūkǒu
13.	打折	dǎ zhé	34.	登机口	dēngjīkǒu
14.	经济舱	jīngjìcāng	35.	行李	xíngli
15.	商务舱	shāngwùcāng	36.	称	chēng
16.	头等舱	tóuděngcāng	37.	超重	chāo zhòng
17.	售票处	shòupiàochù	38.	靠(窗户)	kào(chuānghu)
18.	预订	yùdìng	39.	延迟	yánchí
19.	折	zhé	40.	准确	zhǔnquè
20.	提前	tíqián	41.	电子屏幕	diànzǐ píngmù
21.	电子客票	diànzǐ kèpiào			

重点问题

1. 中国有哪几个主要的民用航空公司？它们的简称各是什么？字母代号各是什么？

2. CA117 号航班大概是哪个航空公司的飞机？

3. 客机一般有几种舱位？他们的票价有什么不同？

4. 什么是单程票？什么是双程票或往返票？

5. 怎样才能买到便宜的机票？

6. 怎么订飞机票？

7. 机场大厅的广播一般会告诉你什么？

8. 你上飞机前要做什么？

9. 如果你去机场接朋友，飞机还没有来，你应该怎么询问？

10 还是自助旅游好

在中国旅行，首先要去的地方一定是北京了，因为北京是中国的首都，那儿有很多名胜古迹。你喜欢怎么去旅行呢？你是喜欢一个人去，还是喜欢跟着旅行团去旅行？这一课就向大家介绍北京一些有名的旅游景点，还有人们喜欢的几种旅游方式。希望下次放假的时候，你能选择自己喜欢的旅行方式，去中国各地看看。祝大家旅行愉快！

本课共分三个部分：

第一部分　介绍北京的旅游景点
第二部分　介绍自己喜欢的旅游方式
第三部分　介绍现在流行的旅游方式

第一部分　介绍北京的旅游景点

北京风光　🎧 录音 42

词语提示		
1. 首都	shǒudū	capital
2. 政治	zhèngzhì	politics
3. 中心	zhōngxīn	centre
4. 外交	wàijiāo	diplomacy
5. 名胜古迹	míngshèng gǔjì	scenic spots and historic sites
6. 城里	chénglǐ	urban area

7. 近郊区	jìn jiāoqū	near suburban
8. 远郊区	yuǎn jiāoqū	outer suburban
9. 老店	lǎodiàn	old shop
10. 著名	zhùmíng	famous
11. 动物园	dòngwùyuán	zoo
12. 地下宫殿	dìxià gōngdiàn	underground palace
13. 闻名	wénmíng	be renowned
14. 地铁	dìtiě	subway, underground, metro

图片提示

8. 香山

9. 明十三陵

10. 八达岭长城

7. 颐和园

1. 天安门

6. 北京动物园

2. 北海公园

5. 天坛公园

4. 前门

3. 故宫

问题提示

1. 北京城里有哪些主要的旅游景点?
2. 近郊区有哪些主要的旅游景点?
3. 远郊区有哪些主要的旅游景点?
4. 这些景点各有什么特点?

一 听第一遍后看图回答表格中的问题

北京市		旅游景点有哪些?	景点的特点是什么?
城里			
城外	近郊区		
	远郊区		

二 第二遍分段听,听后回答下面的问题

1. 天安门、故宫、北海公园、天坛公园和前门大概在什么位置?
2. 北京动物园、颐和园和香山在北京的什么方向?
3. 明十三陵和八达岭长城大概在什么地方?
4. 坐什么车可以到这些地方?

介 绍 2

北京附近的旅游景点 🔘 录音43

词语提示

1. 海边	hǎi biān	seaside	4. 省	shěng	province
2. 皇帝	huángdì	emperor	5. 名山	míngshān	famous mountain
3. 避暑	bì shǔ	spend a holiday at a summer resort	6. 孔子	Kǒngzǐ	Confucius
			7. 家乡	jiāxiāng	hometown

图片提示

4. 承德避暑山庄
Chéngdé Bìshǔ Shānzhuāng

1. 天津 Tiānjīn

5. 曲阜 Qūfù

2. 秦皇岛 Qínhuángdǎo

6. 泰山 Tài Shān

3. 北戴河 Běidàihé

（一）听后看上图回答表格中的问题

北京附近	位置在哪里？	是什么样的旅游景点？	坐火车要多长时间？
天津			
秦皇岛、北戴河			
承德避暑山庄			
泰山、曲阜			

（二）小组活动

假设每个小组是一家旅行社，选择下面的一个旅游项目进行设计，然后向游客说明。最后大家评出哪个旅行社的项目最有意思，玩儿的地方多，费用还不太贵。

1. 北京五日游

2. 在自己的国家五日游

	时间安排	交通工具	游览景点	食宿安排	当天的费用
第一天	（上午、下午、晚上）				
第二天					
第三天					
第四天					
第五天					

第二部分 介绍自己喜欢的旅游方式

 **对 话**

还是自助旅游好 🎧 录音 44

	词语提示		
1.	旅行团	lǚxíngtuán	tour group
2.	自助	zìzhù	self-help
3.	旺季	wàngjì	busy season
4.	熟悉	shúxi	be familiar with
5.	生	shēng	unfamiliar
6.	旅行社	lǚxíngshè	travel agency
7.	游览	yóulǎn	sightseeing
8.	赶火车	gǎn huǒchē	catch a train
9.	管	guǎn	manage
10.	租	zū	rent
11.	逛	guàng	stroll
12.	省钱	shěng qián	save money
13.	安全	ānquán	safety

图片提示

1. 随团游/跟团游
suítuán yóu/gēntuán yóu

2. 自助游 zìzhù yóu

问题提示

1．什么是跟团游?

2．什么是自助游?

3．大卫和田芳喜欢哪种旅游方式?

一　听第一遍后回答提示的问题

二　听后猜测词语或句子的意思

1."人生地不熟"大概是什么意思?

2."吃、住、行、游"大概指的是什么?

3."他们常常……就跟赶火车一样。"这句话大概是什么意思?

4."那是当然的啦!"这句话大概什么时候说?

三　第二遍分段听,听后回答下面的问题

1.大卫要去哪儿旅行? 这是他第一次在中国旅行吗?

2.田芳喜欢他这样旅行吗? 为什么? 她觉得怎么旅行好? 为什么?

3.大卫不喜欢怎么旅行? 为什么? 他觉得用什么方式旅行好? 为什么?

4.田芳和大卫觉得哪种旅行方式省钱?

5."自助游"应该注意什么?

第三部分 介绍现在流行的旅游方式

短 文

现代旅游新时尚 录音45

词语提示		
1. 时尚	shíshàng	fashion
2. 休闲	xiūxián	have leisure
3. 出现	chūxiàn	appear
4. 收入	shōurù	income
5. 选择	xuǎnzé	make a choice
6. 驾照	jiàzhào	driver's license
7. 全家人	quánjiā rén	the whole family
8. 面包车	miànbāochē	mini-bus
9. 流行	liúxíng	popular
10. 污染	wūrǎn	pollute
11. 有利于	yǒulì yú	beneficial, conductive
12. 环境保护	huánjìng bǎohù	environmental protection
13. 拥挤	yōngjǐ	crowded
14. 乡村	xiāngcūn	village
15. ×日游	× rì yóu	× day tour
16. 农民	nóngmín	farmer
17. 农家活儿	nóngjiāhuór	farm work
18. 采摘	cǎizhāi	pick

图片提示

1. 租车游

2. 骑车游

3. 乡村游

问题提示

1．现在人们喜欢什么新的旅游方式？

2．人们为什么会喜欢这些旅游方式？

（一）听第一遍后回答提示的问题

（二）听第二遍后看图片提示回答下面的问题

新的旅游方式	有什么好处？	都什么人喜欢？	他们是怎么玩儿的？
租车游			
骑车游			
乡村游			

（三）听后讨论

分小组进行。

1. 你喜欢什么样的旅游方式？请说明为什么。

2. 在你们国家，不同年龄的人分别喜欢怎么旅游？

本课小结　旅行 4

重 点 词 语

1. 首都	shǒudū		18. 熟悉	shúxi	
2. 政治	zhèngzhì		19. 生	shēng	
3. 中心	zhōngxīn		20. 旅行社	lǚxíngshè	
4. 城里	chéngli		21. 游览	yóulǎn	
5. 近郊区	jìn jiāoqū		22. 赶火车	gǎn huǒchē	
6. 远郊区	yuǎn jiāoqū		23. 安全	ānquán	
7. 老店	lǎodiàn		24. 时尚	shíshàng	
8. 著名	zhùmíng		25. 休闲	xiūxián	
9. 动物园	dòngwùyuán		26. 出现	chūxiàn	
10. 闻名	wénmíng		27. 选择	xuǎnzé	
11. 地铁	dìtiě		28. 全家人	quánjiā rén	
12. 海边	hǎi biān		29. 流行	liúxíng	
13. 皇帝	huángdì		30. 污染	wūrǎn	
14. 避暑	bì shǔ		31. 环境保护	huánjìng bǎohù	
15. 名山	míngshān		32. 拥挤	yōngjǐ	
16. 旅行团	lǚxíngtuán		33. 乡村	xiāngcūn	
17. 自助	zìzhù		34. ×日游	× rì yóu	

重 点 问 题

1. 北京的城区和郊区有什么旅游景点？

2. 北京附近地区有什么旅游景点？

3. 你喜欢自助游还是跟团游？为什么？

4. 你还知道什么旅游方式？你喜欢吗？

5. 你们国家不同年龄的人都喜欢怎么旅游？

11 你会看中国的菜单吗

谁都喜欢吃，吃是生活中很重要的事情。只有吃得好，身体才能好，心情才愉快，工作学习起来才会觉得有意思。如果吃得不好，生活就会变得没味道。在中国，你肯定吃过各种味道的中国菜吧？你知道中国菜的特点吗？能看懂中国的菜单吗？这一课就会学到这些。

本课共分三个部分：

第一部分　介绍中国的饮食

第二部分　介绍中国菜单中的常识

第三部分　介绍中国的菜单文化

第一部分　介绍中国的饮食

 **短 文**

民以食为天　🎧 录音 46

词语提示

1. 饮食	yǐnshí	food and drink	7. 咸	xián	salty
2. 福气	fúqi	good fortune	8. 辣	là	hot
3. 古今	gǔjīn	ancient and modern	9. 酸	suān	sour
4. 菜肴	càiyáo	dishes	10. 菜系	càixì	cuisine, style of cooking
5. 口味	kǒuwèi	taste	11. 味道	wèidào	flavor
6. 甜	tián	sweet	12. 重	zhòng	strong

13. 清淡	qīngdàn	light	16. 餐具	cānjù	tableware
14. 闻	wén	smell	17. 盘子	pánzi	plate
15. 香	xiāng	fragrant	18. 艺术	yìshù	art

图片提示 1

中国的八大菜系

1. 鲁菜 Lǔcài
2. 苏菜 Sūcài
3. 徽菜 Huīcài
4. 浙菜 Zhècài
5. 闽菜 Mǐncài
6. 粤菜 Yuècài
7. 湘菜 Xiāngcài
8. 川菜 Chuāncài

图　例
★ 北京　首都
○ 天津　省级行政中心
├─┼─┤ 未定　国界
─── 省、自治区、直辖市界
------ 特别行政区界

1 : 30 000 000

审图号：GS(2016)2893号
国家测绘地理信息局　监制

图片提示 2

1. 鲁菜 Lǔcài
糖醋黄河鲤鱼

2. 苏菜 Sūcài
砂锅鱼头

3. 徽菜 Huīcài
方腊鱼

4. 浙菜 Zhècài
龙井虾仁

5. 闽菜 Mǐncài
佛跳墙

6. 粤菜 Yuècài
东江盐焗鸡

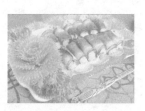

7. 湘菜 Xiāngcài
腊味合蒸

8. 川菜 Chuāncài
麻婆豆腐

9. 中国的餐具
盘子 pánzi、碗 wǎn

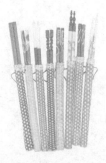

筷子 kuàizi（中国筷子网）

问题提示

1. "民以食为天"大概是什么意思？

2. 从这句话可以知道什么？

3. 中国各地的人饮食习惯一样吗？

4. 中国哪几个地方的菜最有名？

（一）听第一遍后回答提示的问题

（二）第二遍分段听，听后回答下面的问题

1. 中国人认为什么样的人有福气？

2. 为什么中国有很多好吃的菜肴？

3. "南甜、北咸、东辣、西酸"大概是什么意思？

4. 川菜、鲁菜、粤菜、苏菜各是什么地方的菜？

5. 北方菜、南方菜、四川菜和广东菜各有什么特点？

6. 那句关于广东人吃的玩笑话是什么意思？

7. 说中国菜"色、香、味俱全"，大概是什么意思？

8. 为什么说中国的饮食成了吃的艺术？

（三）听后根据提示介绍中国饮食的特点

中国人的饮食习惯	由于……，饮食习惯……。一般的情况是，中国的北方人……，南方人……，而且……口味……，有一种说法是"南……、北……、东……、西……"，意思是……。
中国的地方菜	中国有……的菜最有名，一般是北方菜味道……，……比较多。南方菜……不多，味道……。四川菜……。广东菜……。
中国菜的特点	中国菜的特点是"…………"，意思是中国菜看起来……，闻起来……，吃起来……，再用上……，使中国的饮食成为了……。

第二部分 介绍中国菜单中的常识

🎧 录音 47

图片提示

1. 做菜的用料（yòngliào   material）

肉类

1. 猪肉 zhūròu
pork

2. 牛肉 niúròu
beef

3. 羊肉 yángròu
mutton

4. 鸡肉 jīròu
chicken

5. 鸭肉 yāròu
duck meat

6. 海鲜 hǎixiān   sea food（鱼 yú fish、虾 xiā shrimp、蟹 xiè crab）

肉的部位 （bùwèi   position）

1. 肘子 zhǒuzi
upper part of a leg of pork

2. 腿 tuǐ   leg

3. 排骨 páigǔ
spareribs

4. 里脊 lǐji tenderloin

蔬菜类（shūcài vegetables）

1. 黄瓜 huángguā cucumber

2. 西红柿 xīhóngshì tomato

3. 土豆 tǔdòu potato

4. 大白菜 dàbáicài Chinese cabbage

5. 芹菜 qíncài celery

6. 菜花 càihuā cauliflower

7. 青椒 qīngjiāo
green pepper

8. 圆白菜 yuánbáicài
wild cabbage

9. 冬瓜 dōngguā
white gourd

10. 茄子 qiézi eggplant

11. 西蓝花 xīlánhuā broccoli

12. 荷兰豆 hélándòu pea

调料类（tiáoliào　seasoning）

1. 辣椒 làjiāo　chilli

2. 姜 jiāng　ginger

3. 蒜 suàn　garlic

4. 葱 cōng green onion

5. 香菜 xiāngcài coriander

6. 花椒 huājiāo

seeds of Chinese prickly ash

7. 大料 dàliào

Chinese aniseed

8. 调味品 tiáowèipǐn　condiment
酱油、醋、糖、盐 jiàngyóu、cù、táng、yán
soy sauce，vinegar，sugar，salt

2. 菜和肉切成的形状　（xíngzhuàng　form）

1. 块儿 kuàir（豆腐块儿）

2. 丁儿 dīngr（西红柿丁儿）

3. 末儿 mòr（肉末儿）

4. 片儿 piànr（肉片儿）　　5. 丝儿 sīr（土豆丝儿）　　6. 丸子 wánzi（肉丸子）

3. 中国菜的做法（zuòfǎ　the way of cooking）

1. 煎 jiān（煎鱼）　　　2. 炒 chǎo（炒西红柿）　　　3. 烧 shāo（红烧肉）

4. 蒸 zhēng（蒸丸子）　　5. 熘 liū（熘肉片）　　　6. 炸 zhá（炸春卷）

7. 爆 bào（爆羊肉）　　8. 炖 dùn（炖鸡）　　9. 煮 zhǔ（煮饺子）　　10. 涮 shuàn（涮羊肉）

4. 中国菜的味道（wèidào　flavor）

1. 酸	suān	sour		6. 麻	má	numb
2. 甜	tián	sweet		7. 鲜	xiān	fresh
3. 咸	xián	salty		8. 味重	wèizhòng	strong
4. 苦	kǔ	bitter		9. 清淡	qīngdàn	light
5. 辣	là	hot				

1. 糖醋鱼 tángcù yú（甜酸）

2. 麻辣豆腐 málà dòufu

3. 酸辣汤 suānlà tāng

4. 鱼香肉丝
yúxiāng ròusī（甜辣）

5. 红烧肉
hóngshāo ròu（味重）

6. 干烧鸡翅
gānshāo jīchì

7. 清蒸鱼 qīngzhēng yú（清淡）
清炒、清炖 qīngchǎo、qīngdùn

8. 海鲜面 hǎixiān miàn
（鲜美）

9. 三鲜汤 sānxiān tāng

 **短 文**

你会看中国的菜单吗　🎧 录音47

词语提示		
1. 基本	jīběn	basic
2. 常识	chángshí	common sense
3. 用料	yòngliào	material，ingredient
4. 部位	bùwèi	position
5. 调料	tiáoliào	seasoning
6. 切	qiē	cut
7. 形状	xíngzhuàng	shape
8. 做法	zuòfǎ	the way of cooking
9. 荤菜	hūncài	meat dish
10. 素菜	sùcài	vegetable dish
11. 鲜美	xiānměi	fresh and delicious

问题提示
1. 要想看懂中国饭馆的菜单，应该知道哪些基本的常识？
2. 知道了这些常识就能完全看懂菜单了吗？

（一） 听第一遍后回答提示的问题

（二） 第二遍分段听，听后回答下面的问题

1. 中国菜一般有哪些用料？一般分哪几种？请看图片提示举例说明。

2. 什么是"荤菜"？什么是"素菜"？

3. 菜或肉切成的形状一般有哪几种？请看图片提示举例说明。

4. 中国菜主要有哪些做法？请看图片提示举例说明。

5. 中国菜一般有什么味道？有时我们怎么能知道这个菜的味道？

6."糖醋鱼""麻辣豆腐""酸辣汤""鱼香肉丝"分别是什么味道?

7."红烧肉""清蒸丸子""清炖羊肉""清炒黄瓜""三鲜汤"分别是什么味道?

第三部分 介绍中国的菜单文化

 短 文

菜名还告诉了我们什么 ⌒ 录音 48

词语提示		
1. 丰富	fēngfù	rich
2. 因素	yīnsù	factor
3. 品尝	pǐncháng	taste
4. 美味	měiwèi	delicacy
5. 来自	láizì	be from
6. 古代	gǔdài	ancient time
7. 据说	jùshuō	it is said
8. 婆婆	pópo	an old woman
9. 穷	qióng	poor
10. 辣豆酱	là dòujiàng	thick chilli sauce
11. 开(饭馆)	kāi(fànguǎn(r))	run(a resaurant)
12. 生意	shēngyi	business
13. 麻子	mázi	pockmark
14. 吉利	jílì	lucky
15. 表现	biǎoxiàn	show
16. 愿望	yuànwàng	wish
17. 宝箱	bǎoxiāng	treasure box
18. 蚂蚁	mǎyǐ	ant
19. 松鼠	sōngshǔ	squirrel
20. 毛茸茸	máoróngróng	hairy
21. 食具	shíjù	cooking utensil
22. 发明	fāmíng	invent
23. 比比皆是	bǐbǐ jiē shì	be found everywhere

图片提示

1. 麻婆豆腐 Mápó Dòufu

2. 宫保鸡丁 gōngbǎo jīdīng(r)

3. 金玉满堂 jīnyù mǎntáng

4. 四喜丸子 sìxǐ wánzi

5. 宝箱豆腐 bǎoxiāng dòufu

6. 蚂蚁上树 mǎyǐ shàng shù

7. 松鼠桂鱼 sōngshǔ guìyú

8. 砂锅炖鸡 shāguō dùnjī

9. 铁板牛肉 tiěbǎn niúròu

10. 东坡肘子 Dōngpō Zhǒuzi

苏东坡 Sū Dōngpō

11. 北京烤鸭 Běijīng kǎoyā

> **问题提示**
>
> 1. 中国的菜名里还有哪些文化因素？
> 2. 为什么说想要了解中国的文化，应该从点菜开始？

一　听第一遍后回答提示的问题

二　第二遍分段听，听后回答下面的问题

1. "麻婆豆腐"这个菜名是怎么来的？
2. "金玉满堂""四喜丸子"这些菜名表现了什么？
3. 从"宝箱豆腐""蚂蚁上树""松鼠桂鱼"这些菜名我们能知道什么？
4. 从"铁板牛肉""砂锅炖鸡"这些菜名我们能知道什么？
5. 从"北京烤鸭""东坡肘子"这些菜名我们能知道什么？

三　小组活动

1. 两个人先各自把下面食堂的菜名念一遍。
2. 一个学生扮演吃饭的顾客，另一个扮演服务员，顾客问其中的一个菜，服务员介绍。
   （……是用什么做的？……是什么味道？……是用什么方法做的？……大概什么样子？价钱多少？）

食堂的菜名					
菜名	价钱	菜名	价钱	菜名	价钱
1. 红烧肉 hóngshāo ròu	4.10	5. 辣子鸡丁 làzi jīdīng	5.00	9. 宫保鸡丁 gōngbǎo jīdīng	时价
2. 土豆烧牛肉 tǔdòu shāo niúròu	4.50	6. 红烧排骨 hóngshāo páigǔ	5.00	10. 鱼香肉片 yúxiāng ròupiàn	4.00
3. 红烧大丸子 hóngshāo dà wánzi	1.80	7. 糖醋里脊 tángcù lǐji	5.00	11. 番茄肉片 fānqié ròupiàn	2.00
4. 清炖鸭块 qīngdùn yākuài(r)	4.50	8. 酱爆鸡丁 jiàngbào jīdīng	5.00	12. 熘肉片 liū ròupiàn	5.00

13. 红烧鱼 hóngshāo yú	3.50	15. 炸鱼排 zhá yúpái	5.00	17. 葱爆羊肉 cōngbào yángròu	5.00
14. 干烧带鱼 gānshāo dàiyú	5.00	16. 水煮牛肉 shuǐzhǔ niúròu	5.00	18. 清蒸鱼 qīngzhēng yú	时价

1. 醋熘圆白菜 cùliū yuánbáicài	1.00	6. 蒜末荷兰豆 suànmò hélándòu	3.00	11. 西红柿炒鸡蛋 xīhóngshì chǎo jīdàn	2.00
2. 白菜炖豆腐 báicài dùn dòufu	1.00	7. 素炒西蓝花 sùchǎo xīlánhuā	3.00	12. 鸡丁炒菜花 jīdīng chǎo càihuā	3.50
3. 炒三片 chǎo sānpiàn	1.50	8. 清炒黄瓜 qīngchǎo huángguā	2.50	13. 肉丝炒芹菜 ròusī chǎo qíncài	3.00
4. 肉末冬瓜 ròumò dōngguā	1.50	9. 红烧豆腐 hóngshāo dòufu	1.50	14. 肉片炒青椒 ròupiàn chǎo qīngjiāo	3.00
5. 土豆青椒丝 tǔdòu qīngjiāosī	1.50	10. 鱼香茄子 yúxiāng qiézi	2.60	15. 酸辣白菜 suānlà báicài	1.00

注释：1. 时价 shíjià　current price　2. 番茄 fānqié　tomato　3. 鱼排 yúpái　fish steek

参考资料

中国菜的做法

1. 煎　在锅里放一些油，把要做的东西放在油里，不多翻动它们。如煎鱼、煎鸡蛋等。

2. 炒　在锅里放一点儿油，菜放进去以后要不停地翻动。如炒西红柿、炒鸡蛋等。

3. 烧　是用酱油和水做的菜，颜色比较红，也叫"红烧"。如红烧肉、红烧茄子。还有一种做法叫"干烧"，就是只放酱油，不怎么放水。如干烧鸡翅等。

4. 蒸　把要做的东西放在蒸笼里，用水的热气把它做熟。如蒸丸子、清蒸鱼等。

5. 熘　做法跟"炒"差不多，只是要加淀粉，让肉或菜吃起来很滑软。如熘肉片等。

6. 炸　要在锅里放很多的油，把肉或菜放在热油里。如炸春卷、炸丸子等。

7. 爆　用大火，把菜或肉放在很热的油里，翻动几下，马上拿出来。如爆羊肉。

8. 炖　在菜或肉里放一些水或酱油，用很小的火慢慢做熟。一般要用很长时间。比如，炖牛肉、炖白菜、炖土豆。不用酱油炖的菜叫"清炖"，如"清炖鸭子"。

9. 煮　把要做的东西放在开水里做熟。如煮饺子、煮面条等。

10. 烤　不用锅，把切得薄薄的肉直接放在火上。如烤羊腿、烤肉串等。

11. 涮　客人自己把羊肉片、牛肉片、蔬菜等放进火锅里，煮一会儿，马上就拿出来吃，如涮羊肉、涮牛肉等。

本课小结 | 饮食1

重 点 词 语

1. 饮食	yǐnshí		17. 盘子	pánzi
2. 福气	fúqi		18. 艺术	yìshù
3. 古今	gǔjīn		19. 碗	wǎn
4. 菜肴	càiyáo		20. 筷子	kuàizi
5. 口味	kǒuwèi		21. 基本	jīběn
6. 甜	tián		22. 常识	chángshí
7. 咸	xián		23. 用料	yòngliào
8. 辣	là		24. 部位	bùwèi
9. 酸	suān		25. 调料	tiáoliào
10. 菜系	càixì		26. 切	qiē
11. 味道	wèidào		27. 形状	xíngzhuàng
12. 重	zhòng		28. 做法	zuòfǎ
13. 清淡	qīngdàn		29. 荤菜	hūncài
14. 闻	wén		30. 素菜	sùcài
15. 香	xiāng		31. 鲜美	xiānměi
16. 餐具	cānjù			

重 点 问 题

1. 中国饮食的特点是什么？（中国人的饮食习惯、中国的地方菜、中国菜的特点）
2. 要想看懂中国饭馆的菜单，应该知道哪些基本的常识？
3. 中国的菜单里还有哪些文化因素？（有些菜名是怎么来的？）

12 好吃不过饺子

你常在学校的食堂吃饭吗？你觉得那儿的饭菜怎么样？你知道中国人最喜欢吃什么主食吗？你喜不喜欢吃中国的饺子？你知道在哪儿可以吃到好吃的饺子吗？你知道怎么在饭馆点自己喜欢吃的饺子吗？学了这一课，你就会在食堂买饭了，对中国的特色食品——饺子，了解得也就更多了。

本课共分三个部分：

第一部分　怎么在学校的食堂买饭

第二部分　介绍中国人喜欢的主食

第三部分　介绍中国的饺子

第一部分　**怎么在学校的食堂买饭**

 短 文

我们的食堂 录音49

词语提示		
1. 窗口	chuāngkǒu	window
2. 炒菜	chǎocài	stir-fried-dish
3. 凉菜	liángcài	cold dish
4. 凉拌	liángbàn	cold and dressed with sauce
5. 西点	xīdiǎn	Western snack
6. 西餐	xīcān	Western food

7.	点心	diǎnxin	dessert
8.	半份	bàn fèn	half a portion
9.	合算	hésuàn	good bargain
10.	餐盘	cānpán	tray
11.	打包	dǎ bāo	pack, box
12.	饭卡	fànkǎ	food card
13.	刷卡	shuā kǎ	pay by card
14.	充值	chōng zhí	recharge
15.	退(钱)	tuì(qián)	reimburse，refund
16.	剩下	shèngxià	remain
17.	押金	yājīn	deposit
18.	开票	kāi piào	write a receipt
19.	关门	guān mén	close
20.	风味	fēngwèi	flavor
21.	餐厅	cāntīng	canteen
22.	穆斯林	Mùsīlín	Muslim

问题提示

1．他们学校有几个食堂？

2．卖饭的地方有几个窗口？那儿都卖什么？

3．食堂的楼上有什么？楼下有什么？

（一）听第一遍后回答提示的问题

（二）第二遍分段听，听后回答下面的问题

1. 什么是凉菜？凉菜一般什么时候吃？

2. 他为什么不知道吃什么好？

3. 为什么在食堂吃饭很合算？

4. 怎么在食堂买饭？

5. 要是饭卡里没钱了怎么办？要是不想用卡了怎么办？

6. 没有饭卡能买饭吗？怎么买？

7. 要是你去晚了，食堂关门了，怎么办？

8. 他一般在哪儿吃饭？有时候呢？为什么？

9. 什么叫"现吃现做"？

10."上来的菜都是热乎乎的"，这句话是什么意思？

⟨三⟩ 小组活动（可参考第 11 课中食堂的菜名）

一个人扮演食堂卖饭的师傅，一个人扮演买饭的学生，表演怎么在食堂买饭。

第二部分　介绍中国人喜欢的主食

中国的主食　录音50

词语提示		
1. 粮食	liángshi	grain
2. 食物	shíwù	food
3. 主食	zhǔshí	staple food
4. 副食	fùshí	non-staple food
5. 以……为主	yǐ……wéizhǔ	with...as (staple food)
6. 馅儿	xiànr	filling
7. 小吃	xiǎochī	snack
8. 美容	měiróng	beauty treatment

图片提示

1. 馒头 mántou
（白馒头、黑米馒头）

2. 面条 miàntiáo(r)
（汤面、炒面、拉面）

3. 包子 bāozi
（肉包子、素包子）

4. 饼 bǐng
（大饼、馅饼、炒饼）

5. 饺子 jiǎozi
（煮饺子、蒸饺子）

6. 年糕 niángāo
New Year cake

7. 汤圆 tāngyuán(r)
dumplings made of glutinous
rice flour served in soup

8. 粥 zhōu　porridge
（米粥、肉粥、菜粥）

问题提示

1. 主食是什么意思？副食是什么意思？
2. 中国人把什么叫主食？把什么叫副食？
3. 中国的主食有几大种类？

（一）听第一遍后回答提示的问题

（二）第二遍分段听，听后回答下面的问题

1. 中国人以前主要吃什么？
2. 为什么面食的种类很多？
3. 这些面食的做法一样吗？请举例说明。
4. 南方人的主食有什么？
5. 南方人和北方人都喜欢的食物是什么？它有多长时间的历史了？
6. 粥有哪些种类？它对什么人的身体最有好处？

短文 2

天津小吃——狗不理包子　录音 51

好吃不过饺子 **12**

词语提示

1.	不理	bù lǐ	ignore
2.	遗憾	yíhàn	pity
3.	皮	pí	flour skin
4.	薄	báo	thin
5.	一辈子	yíbèizi	all one's life
6.	店主	diànzhǔ	shop owner
7.	平安	píng'ān	safety
8.	小名/大名	xiǎomíng/dàmíng	childhood/formal name
9.	起名字	qǐ míngzi	give a name
10.	生意	shēngyi	business
11.	火	huǒ	(business is)brisk
12.	开玩笑	kāi wánxiào	make a joke
13.	一概	yígài	without exception
14.	喜爱	xǐ'ài	like

图片提示

1. 天津狗不理包子店　　　　2. 狗不理包子　　　　3. 清朝慈禧太后

113

> **问题提示**
>
> 1. 天津的狗不理包子为什么很有名？
> 2. 这个店有多长时间的历史了？
> 3. 你觉得这个店的名字奇怪吗？为什么？
> 4. 这个故事主要告诉我们什么？

（一）听第一遍后回答提示的问题

（二）听第二遍后回答下面的问题

1. 原来的店主小名叫什么？为什么他父亲给他起了这个小名？
2. "一概不理"大概是什么意思？
3. 后来人们为什么叫他"狗不理"了？还把他的店和他做的包子叫什么？
4. 在历史上谁喜欢吃这个店的包子？现在呢？

第三部分　介绍中国的饺子

好吃不过饺子　🎧 录音 52

> **词语提示**
>
> | | | | | | | |
> |---|---|---|---|---|---|---|
> | 1. 材料 | cáiliào | material | 6. 据说 | jù shuō | It is said... |
> | 2. 包 | bāo | wrap up | 7. 意大利 | Yìdàlì | Italy |
> | 3. 超市 | chāoshì | supermarket | 8. 旅行家 | lǚxíngjiā | traveler |
> | 4. 速冻 | sùdòng | quick-frozen | 9. 马可·波罗 | Mǎkě Bōluó | Marco Polo |
> | 5. 煮 | zhǔ | boil | 10. 欧洲 | Ōuzhōu | Europe |

问题提示

1. "好吃不过饺子"这句话大概是什么意思？
2. 以前中国人想吃饺子怎么办？现在呢？
3. 饺子大概有多少种？

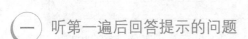 听第一遍后回答提示的问题

（二）第二遍分段听，听后回答下面的问题

1. 什么地方的人最喜欢吃饺子？人们什么时候吃饺子？

2. 人们常吃的是什么馅儿的饺子？还有什么肉可以做饺子？

3. 什么是素饺子？你知道有什么馅儿的素饺子？

4. "饭馆里都是现吃现包"，这句话大概是什么意思？

5. 是谁最早让欧洲人知道了饺子的？有多长的历史了？

6. 你最喜欢吃什么馅儿的饺子？

（三）小组活动

两个人一组，看菜单表演在饭馆点饺子。

1. 服务员，我要……饺子。（三两、半斤 一斤、一盘）

2. 你们这里有什么饺子？有……的饺子吗？（猪肉、鸡肉、羊肉、鱼肉、虾肉……）

3. 你们这里有什么素饺子？都是什么馅儿的？

饺子的菜单				
肉（荤）饺子	价钱	素饺子	价钱
猪肉白菜饺子 zhūròu báicài	15 元/斤	西红柿鸡蛋饺子xīhóngshì jīdàn	12 元/斤
猪肉韭菜饺子 zhūròu jiǔcài	18 元/斤	黄瓜鸡蛋饺子 huángguā jīdàn	12 元/斤
猪肉芹菜饺子 zhūròu qíncài	15 元/斤	韭菜鸡蛋饺子 jiǔcài jīdàn	12 元/斤
猪肉大葱饺子 zhūròu dàcōng	18 元/斤	菠菜鸡蛋饺子 bōcài jīdàn	12 元/斤
鸡肉香菇饺子 jīròu xiānggū	18 元/斤	芹菜鸡蛋饺子 qíncài jīdàn	12 元/斤
羊肉大葱饺子 yángròu dàcōng	18 元/斤	青椒鸡蛋饺子 qīngjiāo jīdàn	12 元/斤
虾肉芹菜饺子 xiāròu qíncài	18 元/斤	西葫芦鸡蛋饺子 xīhúlu jīdàn	12 元/斤
三鲜饺子 sānxiān	20 元/斤	小白菜鸡蛋饺子 xiǎobáicài jīdàn	12 元/斤

注释：1. 韭菜 jiǔcài leek   2. 芹菜 qíncài celery   3. 菠菜 bōcài spinach

4. 香菇 xiānggū mushroom   5. 西葫芦 xīhúlu marrow

本课小结 　饮食 2

重 点 词 语

1. 窗口	chuāngkǒu		12. 充值	chōng zhí
2. 炒菜	chǎocài		13. 退（钱）	tuì(qián)
3. 凉菜	liángcài		14. 开票	kāi piào
4. 凉拌	liángbàn		15. 风味	fēngwèi
5. 西点	xīdiǎn		16. 包（饺子）	bāo(jiǎozi)
6. 西餐	xīcān		17. 超市	chāoshì
7. 点心	diǎnxin		18. 速冻	sùdòng
8. 半份	bàn fèn		19. 据说	jù shuō
9. 合算	hésuàn		20. 意大利	Yìdàlì
10. 餐盘	cānpán		21. 旅行家	lǔxíngjiā
11. 饭卡	fànkǎ			

重 点 问 题

1. 中国有什么主食？
2. 请介绍一下你们学校的食堂。
3. 怎么在食堂买饭？
4. "好吃不过饺子"这句话大概是什么意思？
5. 以前人们想吃饺子怎么办？现在呢？
6. 你知道有哪些种类的饺子？你最喜欢吃哪一种？

13 这个菜味道怎么样

在学校食堂吃饭很方便，也很便宜，但是很多人还是喜欢去饭馆吃饭，这不光是因为饭馆的菜种类更多、更好吃，还可能是因为饭馆的服务更好些，吃饭的环境也更舒适吧。你会在饭馆点菜吗？你知道中国人在饭馆是怎么点菜的吗？这一课就来学习怎么在饭馆点菜。

本课共分三个部分：

第一部分　介绍中国的饭馆

第二部分　怎么在饭馆点菜

第三部分　怎么谈论菜的味道

第一部分　介绍中国的饭馆

短 文

在饭馆吃饭　录音 53

词语提示

1.	迎宾	yíng bīn	greet guests
2.	光临	guānglín	(polite form) visit
3.	特色	tèsè	characteristic
4.	饮料	yǐnliào	drinks
5.	请客	qǐng kè	stand treat
6.	顺序	shùnxù	order
7.	免费	miǎnfèi	free of charge
8.	浪费	làngfèi	waste
9.	拿手	náshǒu	skilled, adept

图片提示

1. 迎宾小姐 yíngbīn xiǎojie

2. 甜食 tiánshí   dessert
   小吃 xiǎochī   snacks

3. 上菜 shàng cài
   serve the dishes

4. 果盘 guǒpán

5. 打包 dǎ bāo

6. 结账/买单 jié zhàng/mǎi dān
   settle the bill

信息提示

饭馆的菜单

1. 凉菜

东北拉皮 Dōngběi lāpí	10 元	酱肘子 jiàng zhǒuzi	10 元
五香牛肉 wǔxiāng niúròu	10 元	凉拌黄瓜 liángbàn huángguā	5 元
花生米 huāshēngmǐ	5 元	水果沙拉 shuǐguǒ shālā	10 元

2. 炒菜

鱼香肉丝 yúxiāng ròusī	10 元	菠萝古老肉 bōluó gǔlǎoròu	10 元
京酱肉丝 jīngjiàng ròusī	14 元	回锅肉 huíguō ròu	11 元
糖醋里脊 tángcù lǐji	13 元	鱼香/糖醋日本豆腐 yúxiāng/tángcù Rìběn dòufu	14 元
宫保鸡丁 gōngbǎo jīdīng	10 元	西红柿炒西蓝花 xīhóngshì chǎo xīlánhuā	14 元
干煸豆角 gānbiān dòujiǎo	12 元	西蓝花炒牛肉/鸡肉 xīlánhuā chǎo niúròu/jīròu	18 元
地三鲜 dìsānxiān	10 元	清炒西蓝花 qīngchǎo xīlánhuā	12 元
焦熘丸子 jiāoliū wánzi	20 元	西蓝花炒鸡蛋 xīlánhuā chǎo jīdàn	16 元
锅包肉 guō bāo ròu	18 元	咖喱牛肉 gālí niúròu	16 元

特色菜

松鼠鱼 sōngshǔ yú	48 元	重庆辣子鸡 Chóngqìng làzi jī	20 元
菊花鱼 júhuā yú	48 元	怪味鸡 guàiwèi(r) jī	38 元
软炸大虾 ruǎnzhá dàxiā	40 元	西柠煎软鸡 xīníng jiān ruǎnjī	22 元
椒盐虾 jiāoyán xiā	38 元	椒盐排骨 jiāoyán páigǔ	22 元

3. 主食 / 甜食、饺子

炸小馒头 zhá xiǎo mántou	8 元	鸡肉香菇饺子 jīròu xiānggū jiǎozi	6 元
炸鲜奶 zhá xiānnǎi	16 元	牛肉白菜饺子 niúròu báicài jiǎozi	6 元
拔丝香蕉/苹果 básī xiāngjiāo/píngguǒ	18 元	猪肉韭菜饺子 zhūròu jiǔcài jiǎozi	6 元
牛肉/猪肉炒面 niúròu/zhūròu chǎomiàn	6 元	羊肉大葱饺子 yángròu dàcōng jiǎozi	6 元
牛肉面 niúròu miàn	6 元	韭菜鸡蛋饺子 jiǔcài jīdàn jiǎozi	6 元
什锦炒饭 shíjǐn chǎofàn	6 元	西红柿鸡蛋饺子 xīhóngshì jīdàn jiǎozi	6 元

4. 汤类　／　5. 酒水

西红柿鸡蛋汤 xīhóngshì jīdàntāng	5 元	燕京啤酒（瓶）Yānjīng píjiǔ	12 元
三鲜汤 sānxiān tāng	10 元	可口可乐（大瓶）kěkǒu kělè	10 元
酸辣汤 suānlà tāng	8 元	橙汁（盒）chéngzhī(r)	15 元

问题提示

1. 饭馆的菜单一般有几个部分？

2. 吃饭的人一般会怎么点菜？

3. 服务员上菜的顺序一般是怎样的？

（一）听第一遍后回答提示的问题

（二）第二遍分段听，听后回答下面的问题

1. 在饭馆门口站着的年轻女孩儿是什么人？顾客来的时候她们会怎么做？

2. 客人坐下以后，服务员会怎么做？客人点菜以后，她们会怎么做？

3. 如果饭菜没有吃完，怎么办？

4. 客人想付钱的时候说什么？

5. 客人离开的时候，站在门口的小姐会说什么？

（三）听后说

　　请说一下在你们国家的饭馆吃饭跟在中国的饭馆吃饭有什么不同。（点菜的方法、上菜的顺序等等）

第二部分　**怎么在饭馆点菜**

对话 1

你来点菜吧　🔘 录音 54

词语提示

1. 古老肉	gǔlǎo ròu	fried pork slices with sweet and sour sauce
2. 怪味鸡	guàiwèi(r) jī	strange, queer-taste chicken

3. 清炒西蓝花	qīngchǎo xīlánhuā	fried broccoli
4. 日本豆腐	Rìběn dòufu	Japanese tofu
5. 地三鲜	dìsānxiān	Disanxian (sautéed potato, green pepper and eggplant)
6. 茄子	qiézi	eggplant
7. 土豆	tǔdòu	potato
8. 青椒	qīngjiāo	green pepper
9. 燕京啤酒	Yānjīng píjiǔ	Yanjing beer
10. 橙汁	chéngzhī(r)	orange juice

问题提示

1. 他们各自点了什么菜?
2. 他们一共要了几个菜? 还要了什么?

（一）听第一遍后回答提示的问题

（二）听第二遍后回答下面的问题

1. 大卫和玛丽进饭馆的时候,服务员是怎么说的?

2. 客人要点菜时该怎么说? 服务员是怎么问客人的?

3. 点菜的时候,客人之间常说什么?

4. 大卫和玛丽是谁点的菜? 他们是怎么点菜的?

5. 如果你不知道这个饭馆有什么菜,应该怎么问?

6. 怎么向服务员了解一个你没吃过的菜?

7. 他们俩点汤了没有?

8. 他们点完菜以后,服务员是怎么做的?

9. "请稍等"大概是什么意思?

 对 话2

我们要的菜怎么还不来 🎧 录音55

词语提示
催　　　cuī　　　urge, hurry

一）听后回答问题

1. 如果菜很长时间不来，你应该怎么说？
2. 客人催的时候，服务员一般会怎么说？
3. "菜很快就好"大概是什么意思？

二）小组活动

听后三个人一组，看菜单分角色练习并表演点菜，请用下面这些常用句型。

服务员说的话	顾客说的话
1. 欢迎光临，……几位？……里边请。	1. 请把菜单……，我们点菜。
2. 二位想吃……?/喝点儿……?	2. 我要一个/我来一个……。 再来一个……。
3. 我们饭馆的特色菜是……。	3. 你们这儿有……特色菜？
4. 这个菜是用……做的。	4. 这个菜是……做的？里面有……?
5. 这个菜的味道是……。	5. 这个菜是……味道的？……不……? ……多不多？
6. 你们点了一个……，一个……， 对不对？	6. 就先要……吧，不够再……。
7. 对不起，今天顾客多，得稍等一会儿。	7. 我们要的菜怎么……? 你能不能 去……?
8. 菜很快就好。	8. 能快……吗？……我们还有事呢。
9. 二位吃好了？一共……钱。	9. 服务员，结账/买单。一共……钱？
10. 请慢走，欢迎以后再来。	10. 谢谢!

第三部分 怎么谈论菜的味道

 对话

这个菜味道怎么样 🎧 录音56

词语提示					
1. 怪	guài	queer, strange	3. 萝卜	luóbo	radish
2. 够	gòu	enough	4. 零钱	língqián	small change

（一）听后回答问题

1. 吃完以后，大卫和玛丽是怎么谈论这三个菜的味道的？

2. "萝卜白菜，各有所爱"大概是什么意思？

3. 中国菜有什么特点？

4. 付钱时大卫是怎么做的？服务员是怎么做的？

5. 他们这顿饭一共花了多少钱？

6. 他们走的时候，服务员是怎么说的？

（二）小组活动

两个人一组，练习怎么谈论菜的味道。用上下面这些常用句型。

谈论菜的味道
1. 你觉得这些菜的味道怎么样？
2. ……的味道有点儿……，我觉得…… 太…… 了！我不太喜欢。
3. 我很喜欢……，我就爱吃……，每次来我都点……，这个……真好吃。
4. 我觉得也是。这个菜……不错，……也好看，……便宜，就是……了一点儿。

本课小结 饮食3

重 点 词 语

1. 迎宾	yíngbīn		11. 上菜	shàng cài
2. 光临	guānglín		12. 果盘	guǒpán
3. 特色	tèsè		13. 打包	dǎ bāo
4. 饮料	yǐnliào		14. 结账/买单	jié zhàng/mǎi dān
5. 顺序	shùnxù		15. 豆腐	dòufu
6. 免费	miǎnfèi		16. 燕京啤酒	Yānjīng píjiǔ
7. 浪费	làngfèi		17. 橙汁	chéngzhī(r)
8. 迎宾小姐	yíngbīn xiǎojie		18. 催	cuī
9. 甜食	tiánshí		19. 够	gòu
10. 小吃	xiǎochī		20. 零钱	língqián

重 点 问 题

1. 饭馆的菜单一般有哪几个部分？

2. 服务员上菜大概是什么顺序？

3. 饭馆服务员一般会对顾客说什么话？

4. 客人会说什么？

5. 怎么在饭馆点菜？怎么催服务员上菜？

6. 怎么谈论菜的味道？

14 饭桌上的礼节

吃了这么多中国菜，你了解中国的饮食文化了吗？你去中国人的家里吃过饭没有？在中国人家里吃饭应该注意什么？还有，中国的年轻人对吃有什么新的想法？这一课我们就一起来了解一下中国的饮食文化。

本课共分三个部分：

第一部分　介绍中国饮食文化的特点

第二部分　介绍中国吃的礼节

第三部分　介绍中国饮食的新观念

第一部分 介绍中国饮食文化的特点

 短文1

同吃一盘菜 　录音57

词语提示

1. 特点	tèdiǎn	characteristic
2. 分(菜)	fēn(cài)	divide, share(a dish)
3. 盘子	pánzi	plate
4. 重视	zhòngshì	value
5. 关系	guānxi	relationship
6. 亲密	qīnmì	close
7. 健康	jiànkāng	health
8. 卫生	wèishēng	clean
9. 热闹	rènao	hilarious

10. 担心	dān xīn	worry about
11. 破坏	pòhuài	do great damage to
12. 传统习惯	chuántǒng xíguàn	custom, tradition
13. 结合	jiéhé	combine
14. 公共	gōnggòng	public
15. 气氛	qìfēn	atmosphere

图片提示

1. 分餐制 fēncān zhì

meal served individually

2. 共餐制 gòngcān zhì

share food from the common plates

3. 菜的种类

4. 用筷子吃饭

问题提示

1. 中国饮食文化有几个主要特点？这些特点是什么？
2. 西方人怎么在一起吃饭？这叫什么？
3. 中国人怎么在一起吃饭？这叫什么？
4. 中国人现在吃饭还都是这样吗？

一 听第一遍后回答提示的问题

二 第二遍分段听，听后回答下面的问题

1. 中国人为什么喜欢用这种方式吃饭？

2. 现在人们对这种吃饭方式有了什么新的看法？

3. 中国人都同意这种看法吗？他们是怎么想的？

4. 现在有的中国家庭是怎么做的？

三 听后讨论

你们国家的人怎么吃饭？你喜欢分餐制还是共餐制？为什么？

您吃了没有　⌒录音 58

词语提示		
1. 老百姓	lǎobǎixìng	common people, ordinary people, civilians
2. 数不清	shǔ bu qīng	countless
3. 加州	Jiāzhōu	California
4. 夏威夷	Xiàwēiyí	Hawaii
5. 阿拉斯加	Ālāsījiā	Alaska
6. 根本	gēnběn	at all
7. 光	guāng	(eat) up
8. 剩下	shèngxia	leave over
9. 没面子	méi miànzi	lose face
10. 加菜	jiā cài	order more dishes
11. 非……不可	fēi……bù kě	insist
12. 肚子	dùzi	stomach
13. 撑破	chēngpò	overfull

问题提示

1. 中西方打招呼的习惯有什么不同？
2. 中西方菜肴在种类、数量上有什么不同？
3. 中西方请客吃饭的习惯有什么不同？

一 听第一遍后回答提示的问题

二 听后猜测词语或句子的意思

1. "不管怎么变，还是没离开'吃'。"这句话大概是什么意思？
2. "这爱吃的传统，怎么能说变就变呢？"这句话大概是什么意思？
3. "有了多得数不清的中国菜"，这句话大概是什么意思？
4. "直到客人实在吃不下了，主人才会停手。"这句话大概是什么意思？
5. "觉得很没面子"，这句话大概是什么意思？
6. "主人一般不会非让他吃不可了。"这句话大概是什么意思？

三 第二遍分段听，听后回答下面的问题

1. 中国人为什么习惯这样打招呼？
2. 中国菜的种类和数量为什么会这么多？
3. 在请客吃饭的时候中国人为什么会有这些习惯？
4. 现在中国人的习惯还是这样吗？你不用担心什么？

第二部分 介绍中国吃的礼节

对 话

饭桌上的礼节 🎧 录音59

词语提示

1. 礼节	lǐjié	etiquette
2. 祝寿	zhùshòu	celebrate one's birthday
3. 入座	rù zuò	take one's seat
4. 面对	miànduì	to face
5. 按照	ànzhào	according to
6. 敬酒	jìng jiǔ	make a toast
7. 尊敬	zūnjìng	respect
8. 倒酒	dào jiǔ	fill one's cup with wine
9. 代替	dàitì	replace
10. 夹菜	jiā cài	get food with chopsticks
11. 翻来翻去	fān lái fān qù	turn over again and again
12. 在乎	zàihu	care about

问题提示

1. 明天玛丽要去做什么？
2. 张东从哪几个方面介绍了中国人吃饭的礼节？

一　听第一遍后回答提示的问题

二　第二遍分段听，听后回答下面的问题

1. 什么是"入座"？"上座"是什么？谁坐"上座"？

2. 入座的时候大家能同时坐吗？应该怎么入座？

3. 喝酒时有什么礼节？"先干为敬"大概是什么意思？

4. 应该怎么给客人倒酒？如果客人不会喝酒，应该怎么做？

5. 吃饭时有什么礼节？应该怎么拿筷子？夹菜的时候不能怎么做？

6. 别人夹菜的时候你不能怎么做？喝汤的时候不能怎么做？

7. 吃完的时候，最好不说什么？应该怎么说？

8. 张东为什么让玛丽不要紧张？

9. "入乡随俗"大概是什么意思？

三　听后介绍中国人吃饭的礼节

吃的礼节	
坐的位置	
入座的顺序	
喝酒的时候	
吃饭的时候	
吃完的时候	

第三部分　介绍中国饮食的新观念

 短文

合吃族　🎧 录音 60

词语提示		
1. 合吃族	héchīzú	young people who eat together
2. 合伙	héhuǒ	form a partnership
3. 单身	dānshēn	single
4. 互联网	hùliánwǎng	Internet
5. 约	yuē	make an appointment
6. AA 制	AA zhì	go Dutch
7. 超过	chāoguò	surpass
8. 原因	yuányīn	reason
9. 美食	měishí	delicacy
10. 交友	jiāo yǒu	make friends
11. 目的	mùdì	purpose
12. 恋人	liànrén	lover
13. 省钱	shěng qián	save money
14. 寂寞	jìmò	lonely

问题提示
1．什么是"合吃族"？   2．为什么会有"合吃族"？

一 听第一遍后回答提示的问题

二 第二遍分段听，听后回答下面的问题

1. "合吃族"一般都是什么人？

2. 他们互相认识吗？他们为什么要上网约别人去吃饭？

3. 每次吃饭一般有多少人？他们怎么买单？

4. 他们一顿饭一般花多少钱？

5. 什么是 AA 制？

6. 你喜欢"合吃族"这样吃饭的方式吗？为什么？

三 根据提示介绍"合吃族"

合吃的原因	合吃的好处	
一是为了……	北京有……，一个人很难……，合吃可以……，……却能……。	
二是为了……	虽然……但是……，慢慢地……，有的……，有的……，还有人……。	
三是为了……	合吃就像……，……合租……，大家…… 可以……，又……又……。	
最后……就是……	虽然……但是……，再加上……，……也不容易。现在有了……，什么时候……，就……，马上就会……，而且还能先……讨论……，等到……，这些……人很快就能……。	

四 小组活动

假设今天你想出去吃饭，可你的朋友都有事不能去，你上网约几个人跟你合吃。

几个人一组表演并讨论：

1. 去哪儿吃？2. 吃什么？3. 什么时间？4. 在哪儿见面？5. 大概多少钱？怎么付费？

本课小结 饮食 4

重 点 词 语

1. 特点	tèdiǎn		19. 祝寿	zhùshòu
2. 分(菜)	fēn(cài)		20. 入座	rù zuò
3. 重视	zhòngshì		21. 面对	miànduì
4. 关系	guānxi		22. 按照	ànzhào
5. 亲密	qīnmì		23. 敬酒	jìng jiǔ
6. 热闹	rènao		24. 尊敬	zūnjìng
7. 担心	dānxīn		25. 倒酒	dào jiǔ
8. 破坏	pòhuài		26. 代替	dàitì
9. 传统习惯	chuántǒng xíguàn		27. 夹菜	jiā cài
10. 结合	jiéhé		28. 翻来翻去	fān lái fān qù
11. 气氛	qìfēn		29. 合吃族	héchīzú
12. 剩下	shèngxia		30. 单身	dānshēn
13. 没面子	méi miànzi		31. 约	yuē
14. 加菜	jiā cài		32. AA 制	AA zhì
15. 非……不可	fēi……bù kě		33. 原因	yuányīn
16. 肚子	dùzi		34. 美食	měishí
17. 撑破	chēngpò		35. 交友	jiāo yǒu
18. 礼节	lǐjié		36. 目的	mùdì

重 点 问 题

1. 中国的饮食文化主要有几个特点？

2. 中国人吃饭的方式跟西方人有什么不同？

3. 中国人为什么喜欢这样吃饭？现在还都是这样吗？

4. 中西方打招呼的习惯有什么不同？可以看出中国人的什么特点？

5. 在请客吃饭上，中西方人的做法有什么不同？

6. 中国人请客吃饭，在饭桌上有什么礼节？

7. 什么是合吃族？他们为什么喜欢这样吃饭？

15 对不起,您坐错方向了

> 来中国以后,你常坐公共汽车和地铁出门吗?你可能会觉得坐公共汽车和地铁很麻烦,你不知道该坐哪路车,不仅看不懂车站的站牌,也听不懂车上的广播,因此就不太愿意坐公共汽车或地铁了。你听了这一课的介绍,也许就不会觉得在中国坐公共汽车和地铁是什么难事了。
>
> 本课共分三个部分:
>
> 第一部分　介绍中国的公共汽车
>
> 第二部分　怎么听广播和认识站牌
>
> 第三部分　介绍中国的地铁

第一部分 **介绍中国的公共汽车**

 短 文

城市公交车　🎧 录音 *61*

词语提示

1. 公交车	gōngjiāochē	public transport
2. 长途	chángtú	long-distance
3. 线路	xiànlù	route
4. 市区	shìqū	urban area
5. 郊区	jiāoqū	suburb

6. 专线	zhuānxiàn	special line
7. 环境	huánjìng	environment
8. 景点	jǐngdiǎn	scenic spot
9. 单一票价	dānyī piàojià	unitary price
10. 分段计价	fēnduàn jìjià	charge by distance
11. 起步价	qǐbùjià	starting price
12. 加钱	jiā qián	add more money to
13. 打折	dǎ zhé	discount
14. 公交卡	gōngjiāokǎ	PT card

图片提示

1. 公共汽车（普通大巴）

2. 公共汽车（空调大巴）

3. 双层公共汽车（双层大巴）

4. 电车

5. 长途公共汽车（长途大巴）

6. 旅游公共汽车（旅游大巴）

问题提示

1．中国城市公交车有哪几种？

2．公交车的线路主要有哪几种？

3．公共汽车都是一样的车吗？

4．每个城市的公交车票价都一样吗？

公交卡（刷卡）

（一）听第一遍后回答提示的问题

（二）听第二遍后回答下面的问题

1. 普通大巴车跟空调车有什么不一样？

2. 大城市里为什么双层公交车以后会越来越多？

3. 有的城市为什么现在还有电车？

4. 如果要去市区或近郊区玩儿，可以坐什么公交车？

5. 如果要去比较远的地方或附近一些城市，可以坐什么公交车？

6. 如果想到这个城市周围的旅游景点玩儿，可以坐什么公交车？

7. 什么是单一票价？什么是分段计价？

8. 怎么坐车最便宜？

（三）根据提示，介绍中国城市的公共汽车

公共汽车的线路和票价

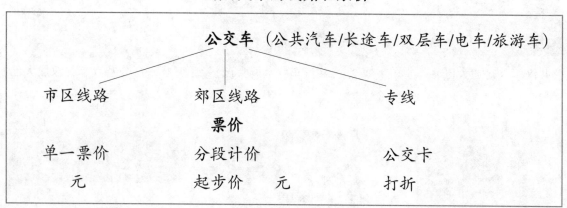

公交车（公共汽车/长途车/双层车/电车/旅游车）

市区线路	郊区线路	专线
	票价	
单一票价	分段计价	公交卡
元	起步价　元	打折

（四）听后说

你常坐几路公共汽车？请介绍一下这路车的种类和票价。

第二部分 **怎么听广播和认识站牌**

 广播1(现场录音)

公共汽车上的广播 🎧 录音 *62*

词语提示		
1. 本路车	běn lù chē	bus of this route
2. 开往	kāiwǎng	leave for
3. 方向	fāngxiàng	direction
4. 刷卡	shuā kǎ	slide one's card
5. 车辆	chēliàng	vehicle
6. 出站	chū zhàn	pull out of the station
7. 安全	ānquán	safety
8. 前方	qiánfāng	in front
9. 乘客	chéngkè	passenger
10. 进站	jìn zhàn	pull into the station
11. 出示	chūshì	show

听后回答问题

1. 这是几路公共汽车? 这路车开往什么地方?

2. 有卡的乘客怎么上下车? 没有卡的乘客怎么办?

3. 前边是什么站? 应该在哪个门上下车?

4. 乘客刚上车时、汽车快进站和进站时广播分别是怎么说的?

   (欢迎您……, 本路车开……, 请在……上车。车辆出……, 请注意……。)

   (前方到站是……, 请准备……, 没买票的……。)

   (车辆进……, 请注意……。…… 到了, 请在……下车, 下车请……, 车票请……。)

广 播 2（现场录音）

地铁上的广播  录音63

词语提示

1. 运行	yùnxíng	operate, move
2. 首末车	shǒu mò chē	the first/last bus
3. 首班车	shǒubānchē	the first bus/train
4. 末班车	mòbānchē	the last bus/train
5. 由…… 开出	yóu……kāichū	depart from...
6. 苹果园	Píngguǒyuán	Pingguoyuan Station
7. 四惠站	Sìhuì Zhàn	Sihui Station
8. 前方	qiánfāng	next
9. 换乘	huànchéng	change bus
10. 挤靠	jǐkào	press and lean against

听后回答问题

1. 这是几号线地铁？

2. 这是开往什么方向的地铁列车？

3. 由苹果园开出的首末车时间分别是什么时候？

4. 由四惠站开出的首末车时间分别是什么时候？

5. 前边要到达的是什么站？

6. 在什么站换乘2号线地铁？

 对 话

对不起，您坐错方向了 录音64

词语提示

1. 倒霉	dǎoméi	have bad luck
2. 反	fǎn	opposite

3.	对面	duìmiàn	opposite
4.	往回坐	wǎng huí zuò	take the bus/train in the opposite direction
5.	站牌	zhànpái	station sign
6.	始发站	shǐfāzhàn	departure station
7.	终点站	zhōngdiǎnzhàn	terminal station
8.	经过	jīngguò	go/pass by
9.	箭头	jiàntóu	arrow
10.	顺着	shùnzhe	along
11.	指着	zhǐzhe	point to
12.	上网	shàng wǎng	surf the Internet
13.	输入	shūrù	key in

信息提示

公共汽车站牌

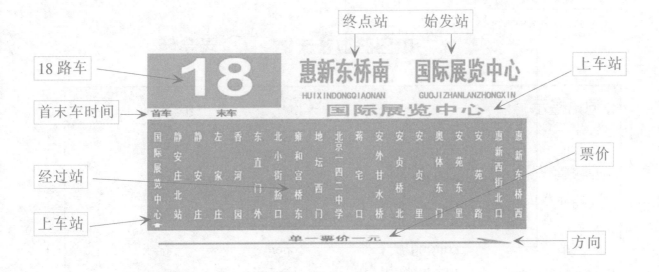

问题提示

1. 大卫昨天怎么了？
2. 售票员是怎么说的？
3. 大卫为什么会这么倒霉？
4. 他为什么感谢田芳？

一　听第一遍后回答提示的问题

二　听第二遍后看"信息提示"的公共汽车站牌，回答下面的问题

1. 这是几路车的站牌？

2. 这路车的始发站是哪儿？终点站是哪儿？

3. 这辆车是开往什么方向的？

4. 本站（上车站）是什么站？

5. 这路车的票价是多少？

6. 如果站牌上没有写首末车的时间，但是你想知道，应该怎么办？

7. 怎么才能不坐错方向？首先应该知道什么？

第三部分　介绍中国的地铁

 短 文

中国的地铁文化　　录音65

词语提示

1. 目前	mùqián	at present
2. 修建	xiūjiàn	build
3. 四通八达	sì tōng bā dá	extend in all directions
4. 奥运会	Àoyùnhuì	Olympic Games
5. 开通	kāitōng	open
6. 人性化	rénxìnghuà	humanized
7. 站台	zhàntái	platform
8. 几乎	jīhū	almost
9. 层	céng	floor
10. 电梯	diàntī	elevator
11. 堵车	dǔ chē	traffic jam
12. 管理	guǎnlǐ	manage
13. 严	yán	strict

14. 准时	zhǔnshí	punctual
15. 分秒不差	fēn miǎo bú chà	right on time
16. 车厢	chēxiāng	carriage
17. 整洁	zhěngjié	graceful
18. 优美	yōuměi	beautiful
19. 速度	sùdù	speed
20. 节目	jiémù	program
21. 无聊	wúliáo	boring

图片提示

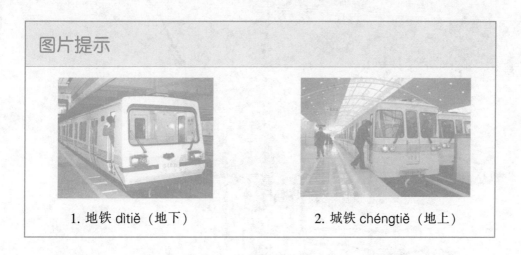

1. 地铁 dìtiě（地下）　　　　2. 城铁 chéngtiě（地上）

信息提示 1

北京部分地铁线路图

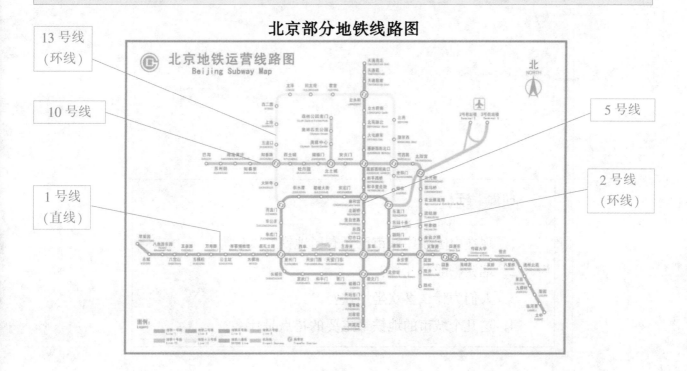

信息提示 2

北京地铁规划图

北京城市轨道交通近期建设方案一（2015年）

问题提示

1. 现在中国哪些城市已经有了地铁？以后呢？
2. 地铁一般分几种？
3. 人们为什么喜欢坐地铁？
4. 这几个城市的地铁最主要的特点是什么？

一 听第一遍后回答提示的问题

二 第二遍分段听,依次介绍这些城市的地铁

北京 (最……)	将会四通八达,除了……以外,还有…… 还会……票价……最……。
香港 (最……)	有……, 可以到达……。每…… 就有……, 只需要走……, 几乎……, 因为……, ……有好多……, 每…… 都有……, …… 方便。由于……, 大多数……。
上海 (最……)	有……, 进站……, 几乎……, 车厢……, 环境……。
广州 (最……)	有……, 最高速度……, …… 最……。
天津 (最不……)	一般……, 会……, 但……, 不会……, 因为在…… 里有……, 全天 播放……。

三 听后说

请简单介绍一下你们国家某个城市的地铁线。

 对话

还是地铁又快又方便 录音66

一 听后回答问题

1. 男的要去哪儿?

2. 女的告诉他怎么去那儿?

3. 男的为什么要坐地铁去?

（二）集体活动

　　一个人提一个问题，知道的同学可以帮助他。（可根据所在城市的情况提问）
1. 我想去故宫（前门、雍和宫、王府井、动物园……），怎么坐公共汽车或地铁去？
2. 你能给我介绍一个好玩儿（或有好吃的）的地方吗？请说明怎么坐公共汽车或地铁去。

（三）常识小问答　下面这些地铁标志都告诉我们什么？

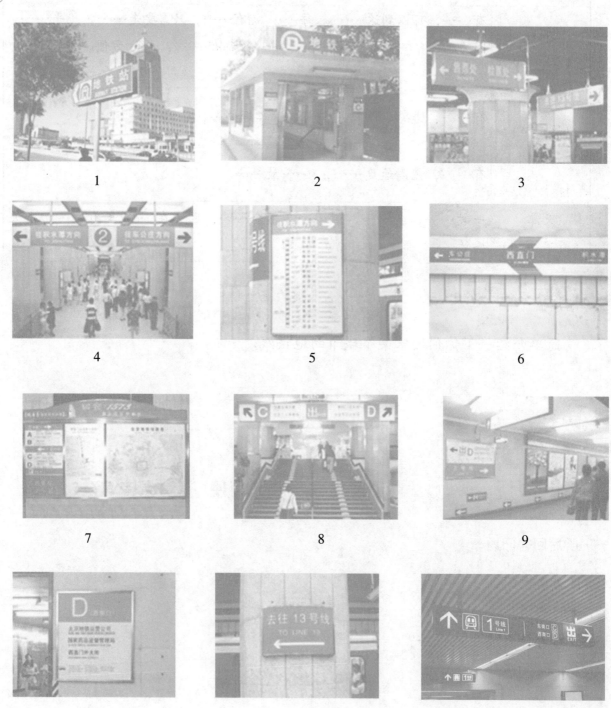

本课小结　交通 1

重 点 词 语

1. 公交车	gōngjiāochē	21. 前方	qiánfāng
2. 长途	chángtú	22. 乘客	chéngkè
3. 线路	xiànlù	23. 进站	jìn zhàn
4. 市区	shìqū	24. 出示	chūshì
5. 郊区	jiāoqū	25. 首班车	shǒubānchē
6. 专线	zhuānxiàn	26. 末班车	mòbānchē
7. 环境	huánjìng	27. 换乘	huànchéng
8. 景点	jǐngdiǎn	28. 反	fǎn
9. 单一票价	dānyī piàojià	29. 对面	duìmiàn
10. 分段计价	fēnduàn jìjià	30. 站牌	zhànpái
11. 起步价	qǐbùjià	31. 经过	jīngguò
12. 加钱	jiā qián	32. 箭头	jiàntóu
13. 打折	dǎ zhé	33. 指着	zhǐzhe
14. 本路车	běn lù chē	34. 修建	xiūjiàn
15. 开往	kāiwǎng	35. 人性化	rénxìnghuà
16. 方向	fāngxiàng	36. 站台	zhàntái
17. 刷卡	shuā kǎ	37. 管理	guǎnlǐ
18. 车辆	chēliàng	38. 堵车	dǔ chē
19. 出站	chū zhàn	39. 准时	zhǔnshí
20. 安全	ānquán		

重 点 问 题

1. 中国城市公交车有哪几种？公交车的线路主要有哪几种？票价有几种？
2. 公共汽车上的广播一般会告诉你什么？地铁上的广播呢？
3. 公共汽车站牌上一般会告诉你什么？怎样才不会坐错方向？
4. 人们为什么喜欢坐地铁？
5. 北京、香港、上海、天津的地铁各有什么特点？
6. 介绍一个有好吃的或好玩儿的地方，请说明怎么坐公共汽车或地铁去。
7. 请简单介绍一下你们国家某个城市的地铁线。

16 我的包忘在出租车上了

跟坐公共汽车和地铁相比，你大概更喜欢坐出租车，因为坐出租车更方便，而且不认识路也没关系，你只要告诉司机你去哪儿就可以了。在出租车上还可以跟司机聊聊天儿，练练口语。但是如果坐出租车时出了问题，你们知道该怎么办吗？你会不会给出租车公司打电话来解决这些问题？这一课我们就来了解一下吧。

本课共分三个部分：

第一部分　怎么坐出租车

第二部分　怎么给出租车公司打电话

第三部分　介绍中国的出租车文化

第一部分　怎么坐出租车

对 话

能不能开快一点儿　🎧 录音67

词语提示

1. 附近	fùjìn	nearby
2. 堵车	dǔ chē	traffic jam
3. 尽量	jǐnliàng	do as much as one can
4. 打车/打的	dǎ chē/dǎ dī	take a taxi
5. 绕远	ràoyuǎn	go the long way round
6. 故意	gùyì	intentionally

7. 算不上	suàn bu shàng	can't be counted as
8. 逗	dòu	tease
9. (打)表	(dǎ) biǎo	use the taxi meter
10. 发票	fāpiào	invoice
11. 落	là	leave behind
12. 万一	wànyī	by chance
13. 名片	míngpiàn	name card
14. 指路	zhǐ lù	show the way to

问题提示

1. 山本要去哪儿？司机知道这个地方吗？

2. 她为什么让司机开快点儿？

3. 司机同意了吗？为什么？

4. 这个司机是故意给她绕远吗？为什么？

5. 他们是怎么聊天儿的？

6. 山本是怎么给司机指路的？

7. 他们到的时候，晚了吗？

一 听第一遍后回答提示的问题

二 听第二遍后回答下面的问题

1. 怎么称呼出租车司机？怎么说要去的地方？

2. 如果你想快一点儿到，应该怎么对司机说？

3. 如果你觉得司机绕远了，你该怎么说？

4. 如果司机不知道怎么走，你知道，你应该怎么说？

5. 下车时应该要发票吗？为什么？下车时还应该注意什么？

6. 你一般怎么跟司机聊天儿？

7. "现在……哪儿都堵车，您让我怎么快啊？"这句话大概是什么意思？

8. "我哪能故意给你绕远呢？"这句话大概是什么意思？

9. "别逗了！我哪有那么年轻啊！"大概是什么意思？

（三）小组活动

两个人一组，一个扮演出租车司机，一个扮演乘客，设计对话并表演。

对话提示（可选择一个话题）：

1. 你有急事，比如赶飞机、火车，或者上班、有约会等等。

2. 司机不知道你要去的地方在哪儿。

3. 你觉得司机给你绕远了。

4. 跟司机聊天儿。

 第二部分　怎么给出租车公司打电话

对 话

我的包忘在出租车上了　🎧 录音68

词语提示

1. 出租汽车公司	chūzū qìchē gōngsī	taxi company
2. 护照	hùzhào	passport
3. 银行卡	yínhángkǎ	bank card
4. 手机	shǒujī	mobile phone
5. 查	chá	check

信息提示

出租车发票

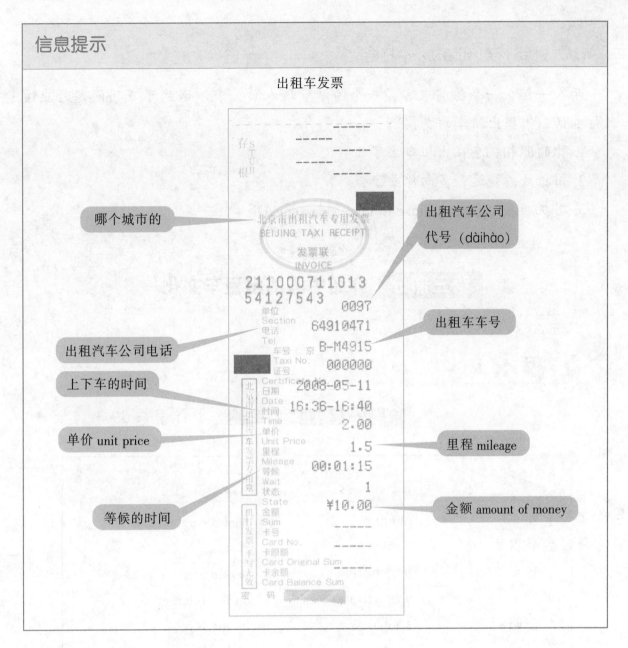

哪个城市的

出租汽车公司
代号（dàihào）

出租汽车公司电话

出租车车号

上下车的时间

单价 unit price

里程 mileage

等候的时间

金额 amount of money

（一）听后回答问题

1. 他遇到了什么麻烦？

2. 这辆车的出租车公司号码是多少？车牌号是多少？

3. 他是什么时候上的这辆车？什么时候下车的？

4. 他的包是什么颜色的？里面有什么东西？

5. 他的电话号码是多少？

6. 出租车发票上一般会告诉你什么？

7. 如果你把东西忘了在出租车上，应该怎么求助？打电话时应该告诉他们什么？

8. 你坐出租车时遇到过什么问题？你是怎么做的？

（二）听第二遍后进行小组活动："打电话"

两人一组，一个扮演乘客，一个扮演管理人员，表演遇到了下列问题时应该怎么打电话（根据出租车的发票）。

1. 你的照相机忘在出租车上了。

2. 司机故意绕远，多向你要了钱。

3. 司机拒载（jùzài refuse to take a passenger）。

第三部分 介绍中国的出租车文化

咱们一起"拼"个车吧   🎧 录音69

词语提示		
1. 拼车	pīn chē	pool a car
2. 花费	huāfèi	cost
3. 停车费	tíngchēfèi	parking fee
4. 网上	wǎngshang	on the Internet
5. 顺路	shùnlù	by the way
6. 接送	jiēsòng	pick up and give a ride
7. 平均	píngjūn	on average
8. 搭车	dā chē	lift, hitchhike
9. 车主	chēzhǔ	owner of a car
10. 约	yuē	make an appointment
11. 省钱	shěng qián	save money
12. 汽油	qìyóu	gas
13. 否则	fǒuzé	otherwise
14. 不得不	bù dé bù	have to
15. 浪费	làngfèi	waste

16. 耽误	dānwu	delay
17. 减少	jiǎnshǎo	decrease
18. 拥挤	yōngjǐ	crowded

问题提示

1. "拼车"是什么意思？
2. 人们为什么要"拼车"？
3. 现在"拼车"主要有几种方式？
   是什么方式？

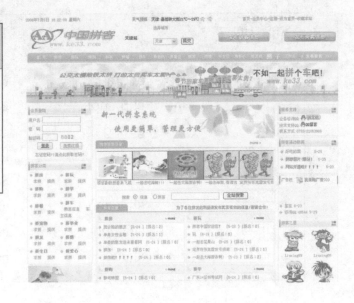

（一）听第一遍后回答提示的问题

（二）第二遍分段听，听后回答下面的问题

1. 陈先生以前怎么上下班？现在他为什么改变了做法？

2. 他后来是怎么做的？这样做有什么好处？

3. 那些搭车的人都是车主认识的人吗？他们会怎么做？

4. 这种"拼车"的方式有什么好处？

5. 这两种"拼车"方式会有什么问题？

6. "拼车"最大的好处是什么？

（三）小组活动

几个人一组，选以下一个题目做对话练习。

1. 几个人要去不同的地方，大家商量怎么"拼"一辆出租车去。

2. 几个人住在不同的地方，大家商量怎么"拼"一辆出租车每天早上来学校上课。

 **短 文 2**

车费为什么这么贵　🎧 录音 70

词语提示		
1. 除非	chúfēi	unless
2. 出差	chū chāi	go on a business trip
3. 逛	guàng	stroll
4. 迷路	mí lù	lose one's way
5. 发达	fādá	developed
6. 少数	shǎoshù	minority
7. 市场	shìchǎng	market
8. 需要	xūyào	need

问题提示
1. 他在国外常坐出租车吗？
2. 外国的出租车跟中国的有什么不同？

一）听第一遍后回答提示的问题

二）听第二遍后回答下面的问题

1. 他在国外什么时候会坐出租车？

2. 他在日本为什么坐出租车？他觉得怎么样？

3. 外国的出租车为什么这么贵？

4. 中国的出租车为什么这么便宜？

5. 最近北京的出租车费为什么贵了？出租车司机高兴吗？为什么？

三）听后讨论

　在你们国家，你常坐出租车吗？为什么？你觉得它们跟中国的出租车有什么不同？

本课小结　交通2

重 点 词 语

1. 堵车	dǔ chē	19. 停车费	tíngchēfèi
2. 尽量	jǐnliàng	20. 顺路	shùnlù
3. 打车/打的	dǎ chē/dǎ dī	21. 接送	jiēsòng
4. 绕远	ràoyuǎn	22. 搭车	dā chē
5. 故意	gùyì	23. 车主	chēzhǔ
6. 算不上	suàn bu shàng	24. 约	yuē
7. （打）表	(dǎ)biǎo	25. 省钱	shěng qián
8. 发票	fāpiào	26. 汽油	qìyóu
9. 落	là	27. 浪费	làngfèi
10. 万一	wànyī	28. 耽误	dānwu
11. 指路	zhǐ lù	29. 减少	jiǎnshǎo
12. 出租汽车公司	chūzū qìchē gōngsī	30. 拥挤	yōngjǐ
13. 护照	hùzhào	31. 出差	chū chāi
14. 银行卡	yínhángkǎ	32. 发达	fādá
15. 手机	shǒujī	33. 少数	shǎoshù
16. 查	chá	34. 市场	shìchǎng
17. 拼车	pīn chē	35. 需要	xūyào
18. 花费	huāfèi		

重 点 问 题

1. 如果出租车司机不认识你要去的地方，你知道，该怎么对他说？
2. 如果你觉得司机给你绕远了，你该怎么说？
3. 你怎么跟出租车司机聊天儿？
4. 如果你的东西忘在出租车上了，怎么打电话寻找？
5. 出租车发票上一般会告诉你什么？
6. 什么是"拼车"？"拼车"有什么好处？你喜欢"拼车"吗？
7. 你们国家的出租车跟中国的有什么不同？

17 自行车王国的变化

你一定听说过，中国是世界上自行车最多的国家。来中国后，看见大街上的自行车有你想象的那么多吗？在北京的胡同，在上海的老街，在中国的很多城市，可以看到许多外国人背着背包、骑着自行车的身影，其中是否也有你呢？在中国开车、骑车、走路，你了解中国的交通规则吗？现在我们就来了解一下吧。

本课共分三个部分：

第一部分　介绍中国的自行车

第二部分　怎么遵守中国的交通规则

第三部分　谈交通与环境保护问题

第一部分　介绍中国的自行车

 对 话

我该买什么自行车　　录音 71

词语提示

1. 简单	jiǎndān	simple
2. 质量	zhìliàng	quality
3. 粗大结实	cūdà jiēshi	heavy and sturdy
4. 省力	shěng lì	save effort
5. 流行	liúxíng	fashionable
6. 迷你	mínǐ	mini
7. 折叠	zhédié	fold
8. 搬	bān	move

图片提示

1. 老式车 lǎoshìchē

2. 山地车 shāndìchē

3. 跑车 pǎochē

4. 迷你车/折叠车
   mínǐchē/zhédiéchē

5. 电动车 diàndòngchē

6. 轻便车 qīngbiànchē

问题提示

1. 中国有哪些种类的自行车？
2. 这些自行车各有什么优点？分别都受什么人欢迎？

（一）听第一遍后回答提示的问题

（二）听第二遍后回答下面的问题

1. 售货员为什么建议女的别买老式车？
2. 女的买山地车了吗？为什么？
3. 女的为什么没买跑车？
4. 女的为什么不想买电动自行车？
5. 女的喜欢"迷你"车吗？她买了吗？为什么？
6. 女的最后决定买什么车了？为什么？

7. 怎么在北京租自行车？你喜欢租还是买自行车？

8. 如果你想买自行车，你会买哪种车？为什么？

（三）小组活动　　表演："推销自行车"。（推销 tuīxiāo　promote the sale）

　　四个人一组，一个扮演售货员，三个扮演买车人，他们分别是中年人、小伙子和年轻姑娘。售货员向几个人推销适合他们各自骑的自行车。

短 文

自行车王国的变化　🎧 录音 72

词语提示

1. 王国	wángguó	kingdom
2. 根据	gēnjù	according to
3. 统计	tǒngjì	add up
4. 洪水	hóngshuǐ	flood
5. 理由	lǐyóu	reason
6. 堵车	dǔ chē	traffic jam
7. 污染	wūrǎn	pollute
8. 环境	huánjìng	environment
9. 严重	yánzhòng	serious

图片提示

以前

现在

问题提示

1. 中国以前为什么被叫做"自行车的王国"？
2. 到了上下班的时候，马路上是什么样的情况？
3. 现在还是这样吗？为什么？

一　听第一遍后回答提示的问题

二　听第二遍后回答下面的问题

1. 以前，北京平均多少人有一辆自行车？
2. 中国人为什么喜欢骑自行车？
3. 现在有了什么新的问题？
4. 人们喜欢这样的结果吗？
5. "谁都买得起"大概是什么意思？

三　听后讨论

你觉得下面哪种出行的方式好？为什么？

1. 骑自行车　　2. 坐公共汽车　　3. 自己开汽车

第二部分　怎么遵守中国的交通规则

 短 文

十字路口　　录音 73

词语提示

1. 来往	láiwǎng	come and go, dealings, contact
2. 发生	fāshēng	occur
3. 事故	shìgù	incident
4. 通过	tōngguò	pass
5. 遵守	zūnshǒu	abide by
6. 规则	guīzé	rules and regulations

7. 抢红灯	qiǎng hóngdēng	force one's way when the traffic light is red
8. 危险	wēixiǎn	danger
9. 平安	píng'ān	safety
10. 歇	xiē	take a rest

图片提示

1. 人行横道 rénxíng héngdào
   行人

2. 红绿灯 hónglǜdēng

3. 交通提示牌 jiāotōng tíshìpái

4. 交通标语 jiāotōng biāoyǔ

5. 立交桥 lìjiāoqiáo

6. 过街天桥 guòjiē tiānqiáo

问题提示

1．为什么在十字路口上会有这样的交通提示牌？
2．提示牌上写着什么？是什么意思？
3．行人应该怎么过马路？
4．大多数人做得怎么样？

一）听第一遍后回答提示的问题

二）听第二遍后回答下面的问题

1. 少数人过马路时是怎么做的？

2. 如果是司机这样做的话，可能会有什么结果？

3. 你在哪儿可以看到交通标语？

4. 有的交通标语上是怎么说的？大概是什么意思？

5. 以后中国的交通情况会怎么样？为什么？

三）看下面这些交通标志牌，试着用汉语说说它们的意思

1. 警示标志（jǐngshì biāozhì   warning sign）

2. 指示标志（zhǐshì biāozhì   road sign）

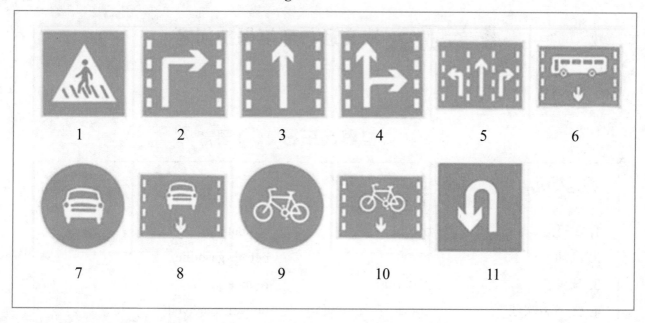

3. 禁止标志（jìnzhǐ biāozhì　forbidding sign）

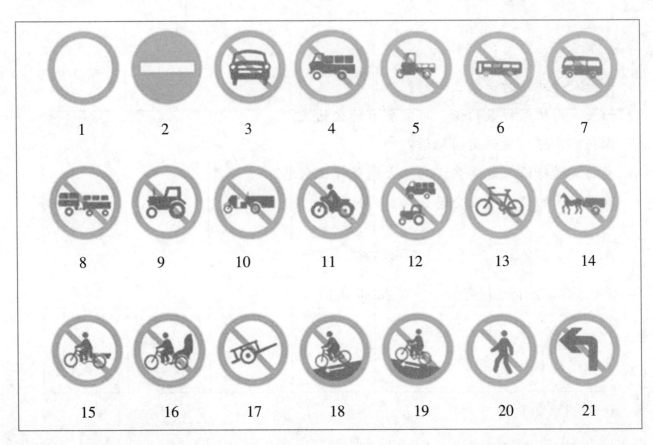

注释：1. 车道 chēdào　lane　　　2. 掉头 diào tóu　turn round　　　3. 拐弯 guǎi wān(r)　make a turn

第三部分 **谈交通与环境保护问题**

世界无车日　🎧 录音 74

词语提示		
1. 步行	bùxíng	on foot
2. 汽油	qìyóu	petrol, gasoline
3. 减少	jiǎnshǎo	reduce
4. 受……欢迎	shòu……huānyíng	be well received
5. 欧洲	Ōuzhōu	Europe
6. 政府	zhèngfǔ	government

7. 市内	shìnèi	urban area
8. 免费	miǎnfèi	free of charge
9. 抱怨	bàoyuàn	complain
10. 唤醒	huànxǐng	wake someone up
11. 环保(环境保护)	huánbǎo	environmental protection
12. 意识	yìshi	awareness

图片提示

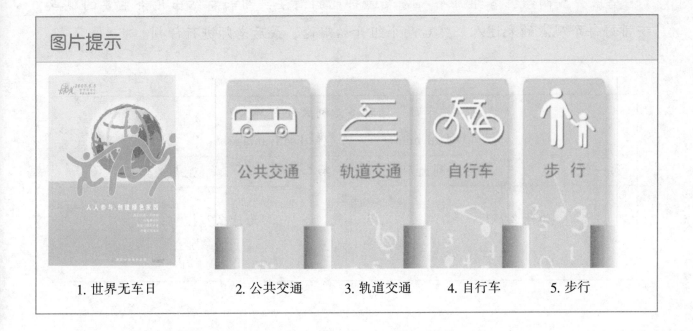

1. 世界无车日　　2. 公共交通　　3. 轨道交通　　4. 自行车　　5. 步行

问题提示

1. 什么是"世界无车日"？在哪一天？
2. "世界无车日"最早是从哪个国家开始的？
3. 中国有多少城市参加了"无车日"活动？

一　听第一遍后回答提示的问题

二　听第二遍后回答下面的问题

1. "无车日"那天人们会怎么做？有什么好处？

2. "无车日"最早是从哪年开始的？它产生的原因是什么？

3. 欧洲有多少国家和城市参加了这个活动？

4. 意大利也是一年一次"无车日"吗？他们是怎么做的？

5. 北京第一次"无车日"结果怎么样？

6. 所有的人都欢迎"无车日"吗？为什么？

7. 多数人对"无车日"是怎么评价的？

三 小组辩论　"无车日"活动多是利大还是弊大？

　　全班分成两组，各组每个人先表述自己的看法，组长总结出几条主要的观点，安排好每个观点的表述人。然后两个组开始辩论，最后老师进行评判。

"无车日"活动多是利大还是弊大？			
（利 advantage　　　弊 disadvantage）			
第一组	观点：利大	第二组	观点：弊大
	为什么？1. 　　　　2.		为什么？1. 　　　　2.

本课小结　交通 3

重 点 词 语

1. 质量	zhìliàng		18. 遵守	zūnshǒu
2. 结实	jiēshi		19. 规则	guīzé
3. 省力	shěnglì		20. 抢红灯	qiǎng hóngdēng
4. 折叠	zhédié		21. 危险	wēixiǎn
5. 搬	bān		22. 人行横道	rénxíng héngdào
6. 王国	wángguó		23. 行人	xíngrén
7. 根据	gēnjù		24. 提醒	tíxǐng
8. 统计	tǒngjì		25. 拐弯	guǎi wān(r)
9. 洪水	hóngshuǐ		26. 红绿灯	hónglǜdēng
10. 理由	lǐyóu		27. 交通提示牌	jiāotōng tíshìpái
11. 堵车	dǔ chē		28. 交通标语	jiāotōng biāoyǔ
12. 污染	wūrǎn		29. 立交桥	lìjiāoqiáo
13. 环境	huánjìng		30. 过街天桥	guòjiē tiānqiáo
14. 严重	yánzhòng		31. 安全	ānquán
15. 来往	láiwǎng		32. 十字路口	shízì lùkǒu
16. 发生	fāshēng		33. 丁字路口	dīngzì lùkǒu
17. 事故	shìgù			

重 点 问 题

1. 中国有哪些种类的自行车？什么人喜欢什么种类的车？
2. 你喜欢哪种自行车？为什么？
3. 中国以前被叫做什么国家？现在还是这样吗？为什么？
4. 为什么很多中国人喜欢骑自行车？
5. 过十字路口或马路的时候应该怎么做？
6. 什么是"无车日"？它产生的原因是什么？这一天人们怎么做？
7. 如果你有车，你会喜欢"无车日"吗？你会怎么做？

18 你哪儿不舒服

来中国以后你得过病吗？得过什么病？你去中国的医院看过病没有？你是不是因为不会用汉语讲自己的病，也听不懂医生说的是什么，所以生了病也不愿去医院看？这样做对身体可没有好处，有了病一定要去找大夫看病。这一课我们就来学一下怎么在中国的医院看病。

本课共分三个部分：

第一部分　介绍中国的医院

第二部分　怎么在中国医院看病

第三部分　怎么跟医生、护士交流

第一部分　介绍中国的医院

介 绍

在哪儿看病　　🎧录音 75

| 词语提示 |

1. 急病	jíbìng	acute disease	6. 慢性病	mànxìngbìng	chronic disease
2. 治疗	zhìliáo	treatment	7. 传统	chuántǒng	tradition
3. 皮肤	pífū	skin	8. 血	xiě	blood
4. 受伤	shòu shāng	be injured	9. 大小便	dàxiǎobiàn	stool and urine
5. 妇女	fùnǚ	women			

图片提示

1. 门诊部 ménzhěnbù   2. 急诊部 jízhěnbù   3. 住院部 zhùyuànbù   4. 内科 nèikē

   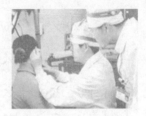

5. 外科 wàikē   6. 口腔科 kǒuqiāngkē   7. 眼科 yǎnkē   8. 耳鼻喉科 ěrbíhóukē

9. 妇科 fùkē   10. 儿科 érkē   11. 中医科 zhōngyīkē   12. 挂号处 guàhàochù

13. 收费处 shōufèichù   14. 药房 yàofáng   15. 注射室 zhùshèshì   16. 化验室 huàyànshì

17. B超室 B chāoshì   18. X光室 X guāngshì   19. 手术室 shǒushùshì   20. 输液 shūyè

问题提示

1. 中国的医院主要分几大部分？

2. 门诊部有什么科？

3. 除了各个科，还有什么别的部门？

（一）听第一遍后回答提示的问题

（二）第二遍分段听，听后回答下面的问题

1. 中国的医院这几个部分有什么不同？

2. 感冒了应该去什么科看？

3. 如果你的手受伤了应该去什么科看？

4. 牙疼应该看什么科？皮肤不舒服呢？眼睛不好呢？耳朵、鼻子、嗓子有问题呢？

5. 小孩儿有病应该看什么科？有妇女病的人应该看什么科？

6. 如果有慢性病，又喜欢中国传统的看病方法，应该看什么科？

（三）听第二遍，根据下表介绍一下中国医院里的部门

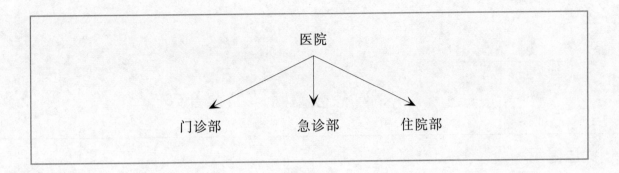

	主要的科	看哪些病
门诊部	内科 nèikē	感冒；拉肚子；睡不好觉
	外科 wàikē	手受伤；头破了；骨头（gǔtou bone）受伤
	口腔科 kǒuqiāngkē	牙疼、牙坏了
	皮肤科 pífūkē	皮肤不舒服
	眼科 yǎnkē	眼睛不好
	耳鼻喉科 ěrbíhóukē	耳朵、鼻子和嗓子有问题
	儿科 érkē	儿童（小孩儿）有病
	妇科 fùkē	妇女病
	中医科 zhōngyīkē	慢性病
别的部门	挂号处 guàhàochù	挂号
	注射室 zhùshèshì	打针；输液
	化验室 huàyànshì	化验血、大小便
	药房 yàofáng	拿药
	B 超室 B chāoshì、X 光室 X guāngshì	检查身体
	收费处 shōufèichù	交药费、治疗费

第二部分 怎么在中国医院看病

怎么看病　🎧 录音 76

词语提示		
1. 普通号	pǔtōng hào	ordinary registration
2. 专家号	zhuānjiā hào	specialist registration
3. 主治医生	zhǔzhì yīshēng	attending physician, doctor in charge of a case
4. 挂号单	guàhàodān	registration sheet
5. 病历	bìnglì	case history
6. 分诊台	fēnzhěntái	desk where the patient is told where to see the doctor
7. 诊室	zhěnshì	examination room
8. 化验单	huàyàndān	laboratory test report
9. 诊断	zhěnduàn	diagnosis
10. 注射单	zhùshèdān	injection bill
11. 药方	yàofāng	prescription
12. 西药	xīyào	Western medicine
13. 中药	zhōngyào	traditional Chinese medicine

问题提示
1．在医院看病主要分几步？
2．每一步各应该去什么地方？

（一）听第一遍后回答提示的问题

（二）第二遍分段听，听后回答下面的问题

1. 看病的第一步怎么做？
2. 第二步怎么做？
3. 第三步怎么做？
4. 第四步怎么做？
5. 第五步怎么做？
6. 第六步怎么做？

（三）小组活动

两人一组，一起看图说一下看病的过程。

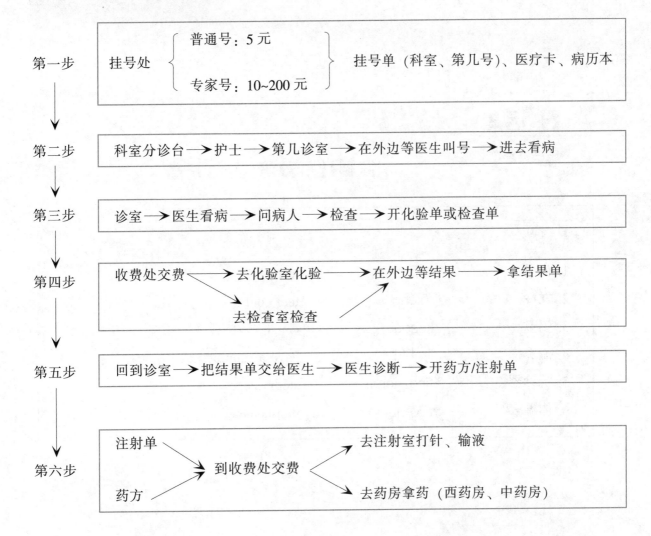

第一步　挂号处 {普通号：5元　专家号：10~200元} 挂号单（科室、第几号）、医疗卡、病历本

第二步　科室分诊台 → 护士 → 第几诊室 → 在外边等医生叫号 → 进去看病

第三步　诊室 → 医生看病 → 问病人 → 检查 → 开化验单或检查单

第四步　收费处交费 → 去化验室化验 → 在外边等结果 → 拿结果单
　　　　收费处交费 → 去检查室检查 → 在外边等结果

第五步　回到诊室 → 把结果单交给医生 → 医生诊断 → 开药方/注射单

第六步　注射单、药方 → 到收费处交费 → 去注射室打针、输液
　　　　注射单、药方 → 到收费处交费 → 去药房拿药（西药房、中药房）

第三部分　怎么跟医生、护士交流

对话1
（在挂号处）

我挂一个内科　　录音77

听后回答问题

1. 大卫要挂什么科？他挂的是什么号？多少钱？
2. 第一次看病应该做什么？
3. 挂号以后大卫应该怎么做？

对话2
（在医生诊室）

你哪儿不舒服　　录音78

词语提示

1. 夜里	yèli	at night
2. 发冷	fālěng	feel cold
3. 咳嗽	késou	cough
4. 流鼻涕	liú bíti	have a running nose
5. 听诊器	tīngzhěnqì	stethoscope
6. 体温表	tǐwēnbiǎo	thermometer

图片提示

1. 看嗓子 kàn sǎngzi

2. 量体温 liáng tǐwēn

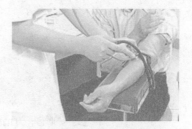

3. 量血压 liáng xuèyā

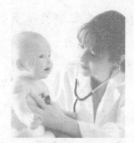

4. 听诊 tīngzhěn

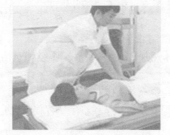

5. 手检 shǒujiǎn

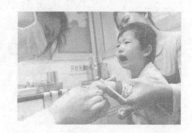

6. 抽血 chōu xiě draw blood

一 听后回答问题

1. 大卫怎么了?

2. 大夫问了他什么问题? 大夫怎么给他检查的?

3. 大卫什么时候发烧的? 他哪儿不舒服? 昨晚发烧多少度? 现在呢? 他是怎么病的?

4. 医生让他去化验室做什么? 化验室在哪儿? 那儿的护士会给大卫怎么检查?

5. 你知道在门诊室医生一般会给病人做什么检查吗?

二 小组活动

两人一组, 按照下面的提示, 练习怎么跟医生讲述自己的病情。

有病的地方	大夫的问话	病人的讲述
感冒	······吗? ······不······? 什么时候······? 多少度?	发烧、咳嗽、流鼻涕、嗓子/头疼 身上发冷/发热、不想吃东西
胃(wèi stomach)	怎么不舒服? 什么时候疼? 吃饭怎么样?	胃疼、没有胃口 (wèikou appetite)、 想吐 (tù vomit)

有病的地方	大夫的问话	病人的讲述
肚子不好	吃什么东西了？一天拉多少次？什么地方疼？什么时候疼？吐吗？	肚子疼、拉肚子、一天十几次、左/右边疼、饭/后前疼、又拉又吐
牙	哪颗牙疼？疼了多久了？这颗该补/拔了。	牙疼、牙掉了、有坏牙、洗牙
失眠（shī mián insomnia）	睡觉怎么样？能睡几个小时？吃过安眠药（ānmiányào sleeping pill）吗？每次吃多少片？	睡不好觉、睡不着觉、头疼、没精神（jīngshen vigor）
皮肤	你这儿有什么不舒服？多长时间了？	皮肤痒（yǎng itch）、发红、有很多小包
妇女病	你多大了？怎么不舒服？	月经（yuèjīng menses）不来、肚子疼
受伤	你的……怎么了？是怎么受伤的？什么时候受伤的？疼得厉害吗？能不能动？	脚/腿受伤了、手/头碰破/流血了
眼睛	你的眼睛怎么不好？现在的视力（shìlì eyesight）是多少？你平时眼睛会怎么样？	眼睛疼、看不清东西、眼睛发干（fā gān feel dry）、总流眼泪

对 话 3

（回到医生诊室）

我给你开点儿中药　🔊录音 79

词语提示

1. 白血球	báixuèqiú	leucocyte, white blood cell
2. 输液	shū yè	infusion
3. 吊瓶	diàopíng	hanging bottle
4. 消炎药	xiāoyányào	antiphlogistic drug
5. 退烧	tuì shāo	bring down a fever
6. 病假条	bìngjiàtiáo(r)	sick leave permit
7. 盖章	gài zhāng	put a seal to, stamp

听后回答问题

1. 大卫的化验结果怎么样？

2. 医生说他得了什么病？医生让他做什么？为什么？

3. 大卫同意医生的建议了吗？为什么？他想怎么做？医生同意了吗？

4. 大卫最后同意怎么治疗？

5. 医生给他开了什么药？

6. 医生还给他开了什么？多少天？为什么一定要盖章？

 **对话4**

（在药房）

这药怎么吃 🎧 录音80

词语提示

1. 丸	wán	pill	4. 服药	fú yào	take medicine
2. 片	piàn	tablet	5. 冲服	chōngfú	take with water
3. 药粉	yàofěn	powder			

听后回答问题

1. 医生给大卫开了几种药？

2. 怎么打针？

3. 这种西药怎么吃？这种中药怎么吃？

4. 这两种药可以一起吃吗？

5. 还有什么药？应该怎么吃？

内服药	怎么吃	外用药	怎么用
药片（瓶/盒） 药水（瓶）	……天……次，一次……片 ……天……次，一次……勺/格（one measure）	药水（瓶） 膏药（gāoyao ointment）（张）	一天上……次药 一天换一张
药丸（盒） 药粉（包）	……天……次，一次……丸，热水服药 ……天……次，一次……包，热水冲服		

 对话5
（在注射室）

你打得一点儿也不疼　🎧 录音 81

词语提示						
1. 注射单	zhùshèdān	injection bill	5. 轻	qīng	light
2. 胳膊	gēbo	arm	6. 握紧	wòjǐn	hold tight
3. 臀部	túnbù	hip	7. 拳头	quántou	fist
4. 凳子	dèngzi	stool	8. 松开	sōngkāi	let loose

一 听后问答问题

1. 到注射室，应该先做什么？

2. 打针一般打什么地方？

3. 如果你怕打针，应该怎么跟护士说？

4. 这位护士打针怎么样？

5. 输液或抽血的时候，护士一般会怎么说？

二 小组活动

几个人一组，把整个看病过程表演一下。

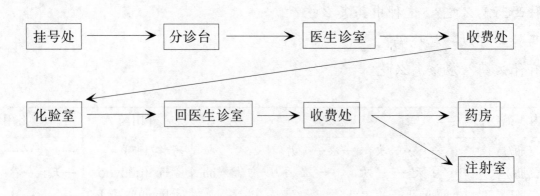

本课小结 医疗1

重 点 词 语

1. 门诊部 ménzhěnbù 看病	2. 急诊部 jízhěnbù 急病	3. 住院部 zhùyuànbù 住院、病房、出院	4. 内科 nèikē 发冷 咳嗽 流鼻 涕发烧、退烧
5. 外科 wàikē 受伤、破、流血	6. 口腔科 kǒuqiāngkē 补牙 拔牙 洗牙	7. 眼科 yǎnkē 眼睛不好，不舒服	8. 耳鼻喉科 ěrbíhóukē 耳朵、鼻子、嗓子
9. 妇科 fùkē 妇女病	10. 儿科 érkē 儿童、小孩	11. 中医科 zhōngyīkē 传统、慢性病	12. 皮肤科 pífūkē 皮炎
13. 挂号处 guàhàochù 挂号单、普通号、 专家号、病历、请 假、病假条、盖章	14. 分诊台 fēnzhěntái 护士、等候、叫号	15. 诊室 zhěnshì 检查、诊断、治 疗、看嗓子、量体 温、量血压、听诊 器、体温表	16. 检查室 jiǎncháshì B 超室 B chāoshì X 光室 X guāngshì 手术室 shǒushùshì
17. 收费处 shōufèichù 交费单	18. 药房 yàofáng 药方 yàofāng 西药、中药 丸 wán 片 piàn 药粉 yàofěn	19. 注射室 zhùshèshì 注射单 输液 shūyè 吊瓶 diàopíng 胳膊 gēbo 臀部 túnbù	20. 化验室 huàyànshì 化验单 抽血 chōu xiě 化验血、大小便 白血球 báixuèqiú

重 点 问 题

1. 在医院看病分几步？每一步应该怎么做？

2. 医生怎么给病人看病？病人应该怎么说？

3. 请表演一下看病的过程。

19 中医真有意思

在中国，你有了病会跟自己的老师或老板请假吗？你知道怎么向别人介绍你在中国看病的经历吗？你对中国传统的中医感不感兴趣？你有病的时候愿意不愿意去看中医？如果你想试试的话，你知道怎么看中医吗？你知道中医都有哪些治病的方法？他们为什么要这样做？这一课我们就一起来了解一下这些内容。

本课共分三个部分：

第一部分　怎么请病假

第二部分　介绍在中国看病的经历

第三部分　介绍一些中医小常识

第一部分　**怎么请病假**

对 话 1、2、3

请病假　🎧 录音 82、83、84

词语提示		
1. 请假	qǐng jià	ask for leave
2. 假条	jiàtiáo(r)	leave permit
3. 病假	bìngjià	sick leave
4. 事前	shìqián	in advance
5. 事后	shìhòu	afterwards

一 听后回答问题

1. 大卫是怎么"事前"请假的？老师是怎么说的？

2. 大卫是怎么"事后"请假的？老师是怎么说的？

3. 安娜是怎么替别人请假的？老师是怎么说的？

二 两人一组，模仿上面的对话练习请假

第二部分 介绍在中国看病的经历

 短文

病房就像宾馆一样 🎧 录音 85

词语提示

1. 重庆	Chóngqìng	Chongqing	8. 外宾	wàibīn	foreign visitor
2. 劝	quàn	persuade	9. 吃惊	chī jīng	be surprised
3. 印象	yìnxiàng	impression	10. 设备	shèbèi	equipment
4. 协和医院	Xiéhé Yīyuàn	Xiehe Hospital	11. 宾馆	bīnguǎn	hotel
5. 急性	jíxìng	acute	12. 网	wǎng	net
6. 阑尾炎	lánwěiyán	appendicitis	13. 放心	fàng xīn	rest assured
7. 做手术	zuò shǒushù	to operate on			

图片提示

  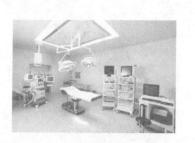

1. 外宾病房	2. 普通病房	3. 手术室

> **问题提示**
>
> 1. 藤井达野从哪儿来？他在中国学习还是工作？
> 2. 他怎么了？
> 3. 他回国了吗？
> 4. 他的病好了没有？

（一）听第一遍后回答提示的问题

（二）第二遍分段听，听后回答下面的问题

1. 藤井达野来中国多长时间了？他在哪儿工作？

2. 什么时候他觉得不舒服了？他怎么不舒服？

3. 他的朋友是怎么劝他的？他是怎样决定的？为什么？

4. 第二天他去了哪儿？医生是怎么说的？藤井达野同意了吗？为什么？

5. 他住的是什么病房？为什么？

6. 他没有想到什么？

7. 他对手术满意吗？为什么？

8. 他为什么要用照相机把这些都照下来？

9. 他的家人看到后说了什么？

10. 他为什么还把这些照片放在了网上？

（三）听后说

请说一下你看病的经历。

第三部分 介绍一些中医小常识

 对 话

中医真有意思 🎧 录音 86

词语提示

1.	安眠药	ānmiányào	sleeping pill
2.	脉搏	màibó	pulse
3.	跳动	tiàodòng	beat
4.	奇怪	qíguài	strange
5.	治病	zhì bìng	treat an illness
6.	细	xì	fine
7.	扎	zhā	prick
8.	脉络	màiluò	general term for arteries and veins
9.	穴位	xuéwèi	acupuncture point
10.	效果	xiàoguǒ	effect
11.	苦	kǔ	bitter
12.	药丸	yàowán	pill
13.	药粉	yàofěn	powder
14.	理论	lǐlùn	principle
15.	复杂	fùzá	complicated
16.	阴阳	yīnyáng	the two opposing principles in nature
17.	平衡	pínghéng	balance
18.	正常	zhèngcháng	normal

图片提示

中医看病的方法

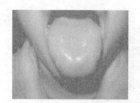

1. 望 （看舌头、脸的颜色）　2. 闻 （听病人说）　3. 问 （问病人问题）　4. 切 （给病人号脉）
　　　　　　　　　　　　　　　　　　　　　　　　　　　　　　　　　　　　hàomài

中医治病的方法

1. 针灸 zhēnjiǔ　　　　2. 按摩 ànmó　　　3. 拔罐 bá guàn　　　4. 刮痧 guā shā

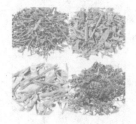

5. 草药 cǎoyào　　　6. 药锅 yàoguō　　　7. 汤药 tāngyào　　　8. 中成药 zhōngchéngyào

（药丸、药粉）

中医理论

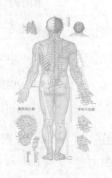
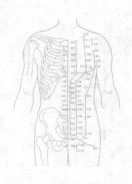

1. 阴阳平衡 yīnyáng pínghéng　　　　2. 脉络图 màiluò tú　　　　3. 穴位图 xuéwèi tú

问题提示
1．中医是怎么给病人作检查的？
2．中医主要有什么治病的方法？
3．中药主要有几种？

（一）听第一遍后回答提示的问题

（二）第二遍分段听，听后回答下面的问题

1. 大卫最近怎么了？他为什么不想看西医？

2. 中医为什么要这样检查病人？

3. 中医是怎么用这些方法给病人治病的？

4. 这些中药的吃法有什么不同？

5. 很多人不喜欢吃什么药？他们愿意吃什么药？为什么？

6. 请看"图片提示"简单介绍一下中医治病的理论。

 短 文

中医再难我也要学 🎧 录音 87

词语提示		
1．现代	xiàndài	modern
2．古代	gǔdài	ancient
3．骨外科	gǔwàikē	bone surgery
4．腰腿病	yāotuǐbìng	illnesses concerning lower back and legs
5．治疗	zhìliáo	treat
6．效果	xiàoguǒ	effect

> **问题提示**
>
> 1．罗山是哪国人？
> 2．他是做什么工作的？
> 3．他想学习什么？

（一）听第一遍后回答提示的问题

（二）听第二遍后回答下面的问题

1. 罗山的中国朋友听说他要学中医，为什么感到很吃惊？
2. 他大概要在中国学习多长时间？
3. 他为什么要学这些治病的方法？
4. "谁说外国人就一定学不会古代汉语？"这句话是什么意思？
5. "中医再难我也要学。"这句话是什么意思？

（三）听后讨论

你对中医怎么看？你有病会去看中医吗？为什么？

参考信息

可为外国人提供医疗服务的部分医院

北京		
名称	地址	电话
固瑞齿科 Gùruì Chǐkē SDM Dental	（北京有 5 家诊所） 21 世纪饭店 2 层 Èrshíyī Shìjì Fàndiàn	010-64664814
瑞尔齿科 Ruì'ěr Chǐkē Arrail Dental	建国门大街 19 号国际大厦 208 室 Jiànguó Mén Dàjiē Guójì Dàshà	010-65006472

北京		
名称	地址	电话
北京和睦医院 Běijīng Hémù Yīyuàn Beijing United Family Hospital	朝阳区将台路 2 号 Cháoyáng Qū Jiàngtái Lù	010–64333960
北京香港国际医务诊所 Běijīng HK Guójì Yīwù Zhěnsuǒ HK International Medical Clinic	东四十条港澳中心 办公楼 9 层 Dōngsì Shítiáo Gǎng-Ào Zhōngxīn	010–65012288 转 2346
北京亚洲国际紧急救援医疗服务中心 Běijīng Yàzhōu Guójì Jǐnjí Jiùyuán Yīliáo Fúwù Zhōngxīn	朝阳区幸福三村北街 1 号 北信租赁中心 C 座 Cháoyáng Qū Běixìn Zūlìn Zhōngxīn	010–64629112
北京协和医院（可为外国人看病） Běijīng Xiéhé Yīyuàn	东城区王府井帅府园 1 号 Wángfǔjǐng Shuàifǔyuán	010–65296114
中日友好医院（可为外国人看病） Zhōng-Rì Yǒuhǎo Yīyuàn	朝阳区和平里樱花东路 Hépíng Lǐ Yīnghuā Dōnglù	010–84205288
上海		
名称	地址	电话
上海瑞新国际医疗中心 Ruìxīn Guójì Yīliáo Zhōngxīn	南京西路 1376 号上海商城 305 室 Nánjīng Xīlù Shànghǎi Shāngchéng	021–62798129
上海海员医院外宾门诊部 Shànghǎi Hǎiyuán Yīyuàn Wàibīn Ménzhěnbù	东长治路 505 号 Dōngchángzhì Lù	021–65952822
固瑞齿科·上海固瑞 Gùruì Chǐkē Shànghǎi Gùruì	上海古北新区水城南路 33 号 Shànghǎi Gǔběi Xīnqū Shuǐchéng Nánlù	021–62786602

本课小结　医疗 2

重点词语

1. 事前	shìqián		19. 望 wàng 闻 wén 问 wèn	
2. 事后	shìhòu		切 qiè/号脉 hàomài	
3. 印象	yìnxiàng		20. 脉搏	màibó
4. 急性	jíxìng		脉络	màiluò
5. 做手术	zuò shǒushù		21. 治病	zhì bìng
6. 吃惊	chī jīng		穴位	xuéwèi
7. 设备	shèbèi		22. 针灸	zhēnjiǔ
8. 放心	fàng xīn		扎针	zhā zhēn
9. 外宾病房	wàibīn bìngfáng		23. 按摩	ànmó
10. 普通病房	pǔtōng bìngfáng		拔罐 bá guàn　刮痧 guā shā	
11. 安眠药	ānmiányào		24. 草药	cǎoyào
12. 奇怪	qíguài		苦	kǔ
13. (治疗)效果	(zhìliáo) xiàoguǒ		25. 药锅	yàoguō
14. 正常	zhèngcháng		汤药 tāngyào 中成药	
15. 现代	xiàndài		26. 药丸	yàowán
16. 古代	gǔdài		药粉	yàofěn
17. 骨外科	gǔ wàikē		27. 阴阳平衡	yīnyáng pínghéng
18. 腰腿病	yāotuǐbìng			

重点问题

1. 怎么"事前"请假？怎么"事后"请假？怎么替别人请假？
2. 中医大夫怎么给病人看病？
3. 中医有什么治病的方法？
4. 你吃过或听说过中药吗？中药有哪几种？什么味道？
5. 你在中国的医院看过病吗？请介绍一下你看病的经过。

20 您的手艺真不错

自行车坏了怎么跟修车师傅说？怎么跟理发师说明你想要的发型？这些事情虽然都是生活中的小事，但是因为语言的问题解决不好，也是很让人头痛的。我们这一课就要学习怎么跟这些为我们服务的人谈话，解决生活中的问题。

本课共分三个部分：

第一部分　怎么修理自行车

第二部分　怎么理发

第三部分　介绍学校的生活服务

第一部分　怎么修自行车

🎧 录音88

词语提示

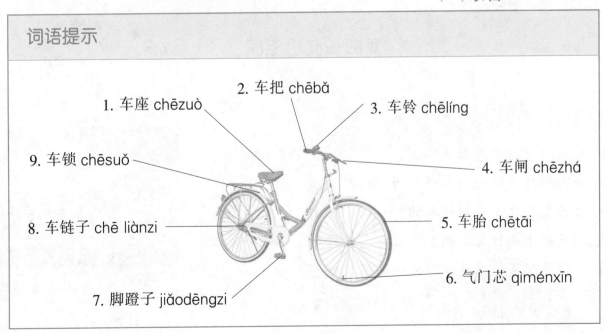

2. 车把 chēbǎ
1. 车座 chēzuò
3. 车铃 chēlíng
9. 车锁 chēsuǒ
4. 车闸 chēzhá
8. 车链子 chē liànzi
5. 车胎 chētāi
6. 气门芯 qìménxīn
7. 脚蹬子 jiǎodēngzi

信息提示

修自行车

自行车的毛病	怎么修理	修理费（元）
车胎(tāi)没气了（破了）	打气、补(bǔ)胎、换胎	0.20　5.00　15.00
车闸(zhá)坏了	修闸、换闸	1.00　10.00
车铃(líng)坏了	修铃、换铃	1.00　5.00
脚蹬(dēng)子坏了	修脚蹬子、换脚蹬子	5.00　12.00
车座太矮(ǎi)/高了	升(shēng)高/降低(jiàngdī)一点儿	2.00
锁(suǒ)坏了/钥匙(yàoshi)丢了	换一把锁	10.00~50.00
车链(liàn)子掉(diào)了	上车链子	1.00
车脏(zāng)了	擦(cā)车	20.00

注：1. 打气 dǎ qì　pump up, inflate　2. 补胎 bǔ tāi　patch up a tyre　3. 升高 shēnggāo　rise
　　4. 降低 jiàngdī　lower　5. 钥匙 yàoshi　key　6. 擦车 cā chē　clean the bicycle

对 话

我的车又出毛病了　🔊 录音88

一　听后回答问题

1. 大卫的自行车怎么了？
2. 师傅能马上修他的车吗？为什么？
3. 大卫是怎么等师傅修车的？
4. 大卫的车是什么毛病？师傅是怎么修的？多少钱？
5. 师傅还想修什么地方？大卫同意了吗？

二 小组活动

根据提示，两人一组，分角色表演："修自行车"。

会话提示：

A：师傅，能修一下我的自行车吗？

B：什么毛病啊？

A：_____。

B：放在这儿吧。

A：要等多长时间？

B：_____。

A：好吧，我_____来取。

（一段时间以后）

A：师傅，我的车修好了吗？

B：修好了，我给你_____了_____。

A：多少钱？

B：_____。

A：给您钱。谢谢师傅。

第二部分 怎么理发

🔊 录音89

词语提示			
1.	手艺/技术	shǒuyì/jìshù	technique, skill
2.	照……理	zhào……lǐ	cut one's hair to follow the ... style
3.	剪短	jiǎnduǎn	cut short
4.	凉快	liángkuai	cool
5.	发乳	fàrǔ	hair cream

图片提示

1. 理发、剪发 lǐ fà、jiǎn fà

2. 洗头 xǐ tóu

3. 吹风 chuī fēng

4. 刮脸 guā liǎn
刮胡子 guā húzi

5. 留胡子 liú húzi

6. 烫发 tàng fà 卷花 juǎn huā

7. 照镜子 zhào jìngzi

8. 染发 rǎn fà

9. 发型 fàxíng

10. 修指甲 xiū zhǐjia

11. 美容 měiróng

12. 理发师 lǐfàshī

 对 话

您的手艺真不错　　🔊录音 89

一 听第一遍后回答问题

1. 大卫想怎么理?

2. 理发师觉得大卫说的这种发型怎么样? 她给大卫提了什么建议?

3. 洗头的时候大卫怎么了?

4. 大卫刮脸了吗？他的头发吹干了没有？有没有用发乳？为什么？

5. 大卫对理发师给他理的发满意吗？他是怎么说的？

6. "该你了。"这句话一般在什么时候说？

7. 男人一般怎么理发？

　　（剪发—洗头—刮脸/刮胡子—吹风）

8. 女人一般怎么理发？

　　（剪发—洗头—吹风　　烫发/染发—洗头—卷花—吹风）

（二）听第二遍后，根据下面的提示，两人一组，分角色表演"理发"

理发师	顾客
你想怎么理？	还照原来的发型理。
你想理什么样儿的？	剪短一点儿/不要太短了。
你要理什么发型？	前边……后边……。
	现在最流行的那种发型。
洗发/卷发/染发吗？	洗发/卷发/染成黄色。
要不要吹风？	头发不要吹得太高。
要用发乳吗？	我从来不用发乳/用一点儿吧。
理好了。你看怎么样？	您的手艺真不错/哎呀，剪得太短了！

短文

话说理发馆　🎧 录音 90

词语提示

1. 变化	biànhuà	change		7. 选择	xuǎnzé	choose
2. 高档	gāodàng	top grade		8. 条件	tiáojiàn	condition
3. 中档	zhōngdàng	medium grade		9. 工具	gōngjù	tool
4. 低档	dīdàng	low grade		10. 过路人	guòlùrén	passerby
5. 根据	gēnjù	according to		11. 执照	zhízhào	license
6. 收入	shōurù	income				

图片提示

1. 美容美发厅（高档）

2. 发廊（中档）

3. 小理发馆（低档）

4. 路边无照理发摊

问题提示

1．中国的理发馆现在一般叫什么？

2．理发馆一般分哪几种？

（一）听第一遍后回答提示的问题

（二）听第二遍后回答下面的问题

1. 不同档次的理发馆，顾客有什么不同？为什么？

2. 理发最便宜的地方是哪儿？

3. 理发最便宜的地方的条件怎么样？什么人在那儿理发？

4. 为什么不要去路边无照理发摊理发？

5. 你一般在什么地方理发？为什么？

第三部分 介绍校园内的生活服务

短文

该有的都有了 🎧 录音 91

图片提示

1. 修车铺 xiūchēpù

2. 理发店 lǐfàdiàn

3. 裁缝店 cáifengdiàn

4. 洗衣店 xǐyīdiàn

5. 洗印社 xǐyìnshè

6. 电器修理部 diànqì xiūlǐbù

7. 复印社 fùyìnshè

8. 旅行社 lǚxíngshè

9. 小超市 xiǎo chāoshì

问题提示
1．他们学校有什么生活服务？ 2．"该有的都有了"是什么意思？

（一）听第一遍后回答提示的问题

（二）听第二遍后回答下面的问题

1. 他为什么很喜欢这个修车的师傅？他长什么样子？

2. 为什么很多学生都喜欢到这个理发店理发？

3. 他和他的女朋友在裁缝店做过什么衣服？朋友们都说他们什么？

4. 他经常去洗衣店洗衣服吗？为什么？

5. 他常去洗印社做什么？

6. 他们学校的电器修理部怎么样？

7. 他常去复印社吗？为什么？

8. 这个小旅行社有什么服务？他去过这个地方吗？为什么？

9. "学校里的生活服务真是太多了，我一时也说不完。"这句话是什么意思？

（三）听后说

请介绍一下你们学校里有哪些生活服务，你常去什么地方。

 本课小结　服务 1

重 点 词 语

修理自行车

车胎 (tāi) 没气了(破了)	车座太矮 (ǎi) /高了
打气、补 (bǔ) 胎、换胎	升高 (shēnggāo) 一点儿、降低 (jiàngdī)
车闸 (zhá) 坏了	锁 (suǒ) 坏了/钥匙 (yàoshi) 丢了
修闸、换闸	换一把锁
车铃 (líng) 坏了	车链 (liàn) 子掉 (diào) 了
修铃、换铃	上车链子
脚蹬 (dēng) 子坏了	车脏 (zāng) 了
修脚蹬子、换脚蹬子	擦 (cā) 车

理　发

1. 理发 lǐ fà、剪发 jiǎn fà	2. 洗头 xǐtóu	3. 吹风 chuīfēng
4. 刮脸 guā liǎn 刮胡子 guā húzi	5. 留胡子 liú húzi 理发工具 gōngjù	6. 烫发 tàng fà 卷花 juǎn huā
7. 照镜子 zhào jìngzi	8. 染发 rǎn fà	9. 发型 fàxíng
10. 修指甲 xiū zhǐjia	11. 美容 měiróng	12. 理发师 lǐfàshī
13. 手艺 shǒuyì	14. 剪短 jiǎnduǎn	15. 发乳 fàrǔ

学校生活服务

1. 修车铺 xiūchēpù	2. 理发店 lǐfàdiàn	3. 裁缝店 cáifengdiàn
4. 洗衣店 xǐyīdiàn	5. 洗印社 xǐyìnshè	6. 电器修理部 diànqì xiūlǐbù
7. 复印社 fùyìnshè	8. 旅行社 lǚxíngshè	9. 小超市 xiǎo chāoshì

重 点 问 题

1. 修自行车时怎么跟修车师傅交谈？

2. 理发时怎么跟理发师交谈？

3. 请介绍一下你们学校的生活服务。

21 这件衣服做得太合适了

穿一件中式服装，你是否觉得很有特色？平时衣服脏了，你是自己洗呢，还是送到洗衣店去洗？还有，跟朋友旅行回来，照了很多照片，你得到照相馆去把这些照片洗出来吧？那么你能跟裁缝店、洗衣店和照相馆的师傅说清楚你的需要吗？今天我们就来学学这方面的生活会话。

本课共分三个部分：

第一部分　怎么做衣服

第二部分　怎么洗衣服

第三部分　怎么洗印照片

第一部分 怎么做衣服

🎧 录音 *92*

图片提示 1

相关词语

1. 上衣 shàngyī　　　　　2. 衬衫 chènshān　　　　　3. 大衣 dàyī

4. 裤子 kùzi

5. 中式上衣 zhōngshì shàngyī

6. 裙子 qúnzi

7. 连衣裙　liányīqún

8. 旗袍 qípáo

9. 裁缝 cáifeng

10. 量 liáng（衣服）

11. 裁缝店/服装加工店
cáifengdiàn/fúzhuāng jiāgōngdiàn

图片提示2

量的部位（bùwèi part）

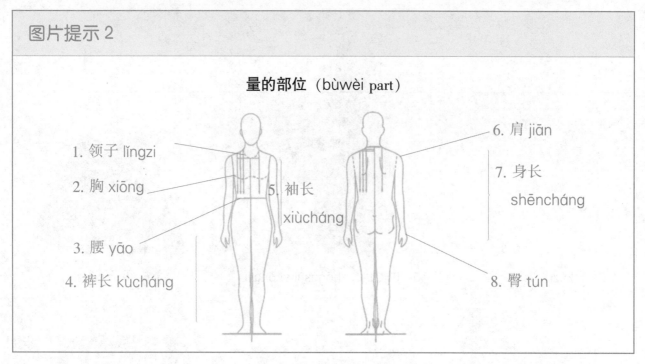

1. 领子 lǐngzi
2. 胸 xiōng
3. 腰 yāo
4. 裤长 kùcháng
5. 袖长 xiùcháng
6. 肩 jiān
7. 身长 shēncháng
8. 臀 tún

话语提示

相关对话

1. 种类	2. 量的地方	3. 不满意	4. 满意	5. 加工费(元)	6. 加工时间
上衣	肩 jiān	宽/窄了。Kuān/Zhǎi le.	不宽不窄。	50.00	10 天
衬衫	领子 lǐngzi	紧/松了。Jǐn/Sōng le.	不松不紧。	45.00	7 天
大衣	胸 xiōng	肥/瘦了。Féi/Shòu le.	不肥不瘦。	60.00	15 天
裤子	臀 tún	肥/瘦了。		30.00	7 天
	腰 yāo	粗/细了。Cū/Xì le.	不粗不细。	35.00	5 天
中式上衣	身长 shēncháng	长/短了。Cháng/Duǎn le.	不长不短。	35.00	10 天
裙子	袖长 xiùcháng			35.00	10 天
连衣裙	裤长 kùcháng			50.00	20 天
旗袍	裙长 qúncháng	大/小了。Dà/Xiǎo le.	不大不小，正合适。	80.00	25 天
	尺寸 chǐcùn				
	样子 yàngzi	不好看。Bù hǎokàn.	很好看。		

对话

这件衣服做得太合适了　🎧 录音 92

(一) 听第一遍后回答问题

1. 安娜要做什么衣服？她要求师傅怎么量？
2. 几天可以做好？能不能快点儿取？为什么？
3. 加工费是多少？什么时候交钱？
4. 她觉得这件衣服做得怎么样？她希望师傅怎么改？
5. 裁缝师傅给她改了吗？为什么？
6. "取衣单"是什么？
7. "但愿我以后可别再胖了。"这句话大概是什么意思？

(二) 听第二遍后，根据下面的提示，分角色表演："做衣服"

(做衣服)

裁缝：您好，您要做什么衣服？

顾客：我要做一件_____。

裁缝：好的，我先给你量一下儿。

顾客：我的____比较____，请你量
　　　得____一点儿。

裁缝：这我知道。你放心好了。

顾客：_____可以取？

裁缝：_____。

顾客：_____多少钱？

裁缝：_____。

(取衣服)

顾客：师傅，____做好了吗？

裁缝：做好了。你试试吧。

顾客：我觉得____好像____了一点儿，
　　　能不能_____一点儿？

裁缝：我马上给你改一下。

(过了一会儿)

裁缝：好了，你再试试看。

顾客：啊！_____正合适，
　　　太_____了！谢谢师傅！

第二部分 怎么洗衣服

🎧 录音 93

词语提示

洗衣价格表

干洗 gānxǐ dry clean			水洗 shuǐxǐ wash clean	
料子 liàozi material	衣服种类	价格（元）	衣服种类	价格（元）
丝绸/真丝 sīchóu/zhēnsī silk	旗袍 qípáo /裙子 qúnzi	30.00	衬衫 chènshān	8.00
纯毛 chúnmáo pure wool	上衣 shàngyī	18.00	棉毛衫/裤 miánmáoshān/kù	8.00
纯棉/棉毛 chúnmián/miánmáo pure cotton	T恤衫 T-shirt T xùshān	8.00	床单 chuángdān bedsheet	18.00
化纤 huàxiān chemical fabric	裤子 kùzi	8.00	毛衣放大 máoyī fàngdà	5.00
羽绒 yǔróng eiderdown	大衣 dàyī	35.00	浅色衣服 qiǎnsè yīfu	加收 20%
皮 pí leather	夹克衫 jiākèshān jacket	80.00	急活儿 jíhuór	加收 50%

听前准备（根据价格表提问）

1. 什么叫"水洗"？什么叫"干洗？干洗和水洗的价钱一样吗？
2. 什么是"料子"？都有哪些种料子？请把料子和衣服连起来说说。
3. 不同料子的洗衣价格一样吗？什么料子的衣服一定要干洗？
4. "毛衣放大"是什么意思？
5. "浅色衣服 加收 20%"是什么意思？
6. "急活儿 加收 50%"是什么意思？

 **对话**

能不能早点儿取  录音 93

一 听第一遍后回答问题

1. 玛丽要洗什么衣服？这些衣服都是什么料子的？

2. 玛丽要用哪一种方法洗？

3. 洗每种衣服分别要多少钱？一共要多少钱？

4. 到洗衣店洗衣一般几天可以取？

5. 玛丽想什么时候取她的衣服？为什么？

6. 玛丽最后大概给了多少钱？为什么？

7. 她还向师傅提了什么要求？

二 听第二遍后，根据下面的提示，分组练习："洗衣服"

服务员：你要洗什么？

顾　客：我要洗_____。

服务员：这件是_____，这件是_____。

顾　客：洗衣费多少钱？

服务员：这件_____元，这件_____元。

顾　客：什么时候取？

服务员：_____。

顾　客：能不能快点儿取？我_____要穿。

服务员：快的话要加钱，一件加_____元。

顾　客：好吧。我_____来取。

第三部分 怎么洗印照片

词语提示

1. 尺寸	chǐcùn	size
2. 冲印(洗印)	chōngyìn(xǐyìn)	develop and print
3. 放大	fàngdà	enlarge
4. 胶卷	jiāojuǎn(r)	film
5. 卷	juǎn(r)	roll
6. 寸	cùn	Chinese inch
7. 绒纸	róngzhǐ	flannelette paper
8. 光纸	guāngzhǐ	coated paper
9. 证件	zhèngjiàn	ID card
10. 数码	shùmǎ	digital
11. 相机	xiàngjī	camera

话语提示

彩色冲印价格表

尺寸		数量	价钱 (元)	散片 (元 / 张)
冲印 (绒纸)	5寸	1卷 juǎn(r)	19.80	0.60
(光纸)	5寸	1卷	21.80	0.70
	6寸	1卷	32.00	1.00
	7寸	1卷	72.00	2.50
放大	8寸	1张	9.00	
	10寸	1张	12.00	
	12寸	1张	23.00	
证件照 (普通)	1寸	8张	10.00	

尺寸		数量	价钱（元）	散片（1元/张）
	2寸	4张	10.00	
数码照（快照）	1寸	8张	25.00	
	2寸	4张	25.00	

对话1

你要印多大的 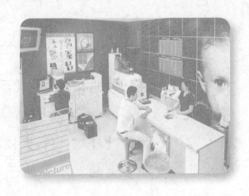 🎧 录音 94

听后回答问题

1. 这个顾客要做什么？
2. 他要洗印多大的照片？用什么相纸？
3. 一共多少钱？
4. 什么时候取？取照片的时候要拿什么？

对话2

你要放大几张 🎧 录音 95

听后回答问题

1. 这个顾客来做什么？
2. 照相馆为什么送他一张7寸的照片？
3. 他想放大几张照片？
4. 他最后放大了几张？为什么？
5. 他应该给多少钱？

 对 话 3

你要普通照，还是数码快照 　🎧 录音 96

（一）听后回答问题

1. 这个顾客来做什么？

2. 他要照多大的？他要怎么照？

3. 他应该给多少钱？照相馆应该给他几张照片？

4. 什么时候他能拿到照片？

（二）把三段对话连起来听一遍，听后完成会话

分组根据前面的价格表和提示进行以下内容的对话。

（洗印照片）

顾　客：小姐，冲印＿＿＿多少钱？

营业员：要印多大的？＿＿＿的还是＿＿＿的？

顾　客：＿＿＿的。

营业员：要＿＿＿的，还是＿＿＿的？

营业员：要放大到多少？

顾　客：要＿＿＿的。

营业员：＿＿＿＿＿＿＿＿。

顾　客：什么时候可以取？

营业员：＿＿＿＿＿。这是取相单。请拿好。

顾　客：谢谢！

（放大照片）

顾　客：小姐，我取照片。

营业员：给您。

顾　客：照得＿＿＿＿＿＿！这几张我想
　　　　＿＿＿＿＿＿。

顾　客：＿＿＿＿＿的吧。多少钱一张？

营业员：＿＿＿＿＿＿块一张。要放大哪
　　　　几张？

顾　客：我想放大＿＿＿＿＿张照片。

营业员：一共＿＿＿＿＿＿。

顾　客：谢谢！

（照证件照）

顾　客：小姐，我要照证件照。

营业员：你要照＿＿＿＿＿的还是＿＿＿＿＿的？

顾　客：＿＿＿＿＿的。

营业员：要＿＿＿＿＿照，还是＿＿＿＿＿照？

顾　客：多少钱？

营业员：普通的_____钱，数码的_____钱。

顾　客：照_____的吧。能给多少张？

营业员：_____张。

顾　客：什么时候取？

营业员：_____以后。

 **短 文**

照相馆的变化　🎧 录音 97

词语提示

1. 时代	shídài	era
2. 年代	niándài	age, years, time
3. 电脑	diànnǎo	computer
4. 打印	dǎyìn	print
5. 专门	zhuānmén	special
6. 艺术照	yìshùzhào	art photo
7. 成为	chéngwéi	become
8. 回忆	huíyì	recall

图片提示

1. 黑白照片 hēibái zhàopiàn

2. 彩色照片 cǎisè zhàopiàn

3. 全家福 quánjiāfú

a photo of the whole family

（电视连续剧《闯关东》剧照）

4. 老式相机 lǎoshì xiàngjī

old-fashioned camera

5. 自动相机 zìdòng xiàngjī

automatic camera

6. 傻瓜相机 shǎguā xiàngjī

foolproof camera

7. 数码相机 shùmǎ xiàngjī

digital camera

8. 小型摄像机 xiǎoxíng

shèxiàngjī　mini camera

9. 图片社（洗印社）túpiànshè

（xǐyìnshè）photo shop

10. 影楼 yǐnglóu

photographer's shop

问题提示

1. 30 多年前中国人怎么照相？

2. 80 年代以后人们怎么照相？

3. 现在人们怎么照相？

（一）听第一遍后回答提示的问题

（二）听第二遍后回答下面的问题

1. 什么是"全家福"？

2. 80 年代以后人们去照相馆做什么？

3. 在照片的颜色上，人们照相的喜好有什么变化？

4. 几十年来照相机有什么变化？

5. 现在人们还常去照相馆照相吗？为什么？

6. 为什么说"再过些年，恐怕连胶卷都用不着了"？

7. 照相馆的名字有了什么变化？这些地方有什么不同？

（三）听后猜测句子的意思

1. "最能看出时代变化的就是照相馆了。"这句话大概是什么意思？

2. "远的不说，就说三十多年前"，大概是什么意思？

3. "照相成了人们生活中最平常的事情了。"这句话是什么意思？

4. "除非是过生日、结婚这些特别的日子，人们……"这句话是什么意思？

5. "照相馆……成为人们对过去的回忆。"这句话是什么意思？

（四）看图片和提示说说中国照相馆的变化

30 多年前	没有……，……都去……。
80 年代以后	黑白照片—彩色照片
	老式相机—自动相机（傻瓜相机）—小型摄像机，……很少去……。
现在	数码相机……，用电脑……，发 E-mail……，一般不去……。
照相馆的名字	有的不叫……了，叫……是专门……的地方。而……，或者叫……，是专门……的地方。叫……的很少了。

本课小结　服务 2

重 点 词 语

1. 上衣	shàngyī	18. 放大	fàngdà
2. 衬衫	chènshān	19. 胶卷	jiāojuǎn (r)
3. 大衣	dàyī	20. 卷	juǎn (r)
4. 裤子	kùzi	21. 寸	cùn
5. 中式上衣	zhōngshì shàngyī	22. 专门	zhuānmén
6. 裙子	qúnzi	23. 绒纸	róngzhǐ
7. 连衣裙	liányīqún	24. 光纸	guāngzhǐ
8. 旗袍	qípáo	25. 相机	xiàngjī
9. 裁缝	cáifeng	26. 自动相机	zìdòng xiàngjī
10. 量	liáng（衣服）	27. 傻瓜相机	shǎguā xiàngjī
11. 裁缝店 /	cáifengdiàn/	28. 数码相机	shùmǎ xiàngjī
服装加工店	fúzhuāng	29. 小型摄像机	xiǎoxíng shèxiàngjī
	jiāgōngdiàn	30. 打印	dǎyìn
12. 肥瘦、粗细、	féishòu、cūxì、	31. 黑白照片	hēibái zhàopiàn
长短、合适	chángduǎn、héshì	32. 彩色照片	cǎisè zhàopiàn
13. 干洗、水洗	gānxǐ/shuǐxǐ	33. 全家福	quánjiāfú
14. 料子、丝绸、	liàozi、sīchóu、	34. 证件照	zhèngjiànzhào
毛、棉、羽绒	máo、mián、yǔróng	35. 数码照	shùmǎzhào
15. 夹克衫	jiākèshān	36. 图片社（洗印社）	
16. 尺寸	chǐcùn		túpiànshè（xǐyìnshè）
17. 冲印(洗印)	chōngyìn(xǐyìn)	37. 影楼	yǐnglóu

重 点 问 题

1. 如果你想做衣服，应该怎么跟裁缝说？

2. 裁缝给你量的时候，你应该怎么说？

3. 他给你做得很合适时，你应该怎么说？如果做得不合适呢？

4. 你把衣服给洗衣店的时候，他们会怎么说？

5. 不同衣服的洗衣价格一样吗？大概有什么不同？

6. 现在的照相馆跟以前的有什么不同？现在人们去照相馆一般做什么？

7. 如果你要洗照片、放大照片或照证件照，应该跟营业员怎么说？

22 我想办一张银行卡

银行

你每个月都要去的地方一定是银行吧？去银行存钱、取钱、换钱，哪一样都少不了跟银行的工作人员打交道。你在办这些事的时候遇到过麻烦没有？如果遇到过，你知道该怎么办吗？这一课我们要介绍一些有关中国银行方面的情况。

本课共分四个部分：

第一部分　介绍中国的银行
第二部分　怎么存钱和取钱
第三部分　怎么汇款
第四部分　怎么换外汇

第一部分　介绍中国的银行

短文

在银行办事更方便了　录音98

词语提示		
1. 国有	guóyǒu	state-owned
2. 总行	zǒngháng	head office of a bank
3. 存取	cúnqǔ	deposit and draw
4. 外币/外汇	wàibì/wàihuì	foreign currency
5. 人民币	rénmínbì	Renminbi
6. 为主	wéizhǔ	as the main force

7. 办事	bàn shì	handle affairs, work
8. 定期	dìngqī	fixed deposit, time deposit
9. 活期	huóqī	current deposit
10. 申请	shēnqǐng	application
11. 银行卡	yínhángkǎ	bank card

图片提示

1. 存单 cúndān

deposit sheet

2. 存折 cúnzhé

deposit book

3. 自动取款机 /自动柜员机

zìdòng qǔkuǎnjī/

zìdòng guìyuánjī ATM

银行卡

4. 长城卡 Chángchéng Kǎ

Great Wall Card

5. 牡丹卡 Mǔdan Kǎ

Peony Card

6. 龙卡 Lóng Kǎ

Dragon Card

7. 金穗卡 Jīnsuì Kǎ

Golden Ear Card

问题提示

1. 什么是国有银行？中国有几家国有银行？

2. 中国有哪几家国有银行？

3. 除了国有银行以外，还有什么银行？

一 听第一遍后回答提示的问题

二 第二遍分段听，听后回答下面的问题

1. 在这些国有银行都可以存取外币吗？

2. "民生银行"和"华夏银行"等也可以存取外币吗？

3. 什么是"以国有银行为主"？

4. 如果你存钱，银行会给你什么？

5. 什么是定期？什么是活期？

6. 这些银行各有什么卡？如果你想要的话，应该怎么办理？

7. 取钱麻烦吗？为什么？

8. 你常去中国的哪家银行？你去银行做什么？

三 听后看下面的提示图，介绍中国的银行

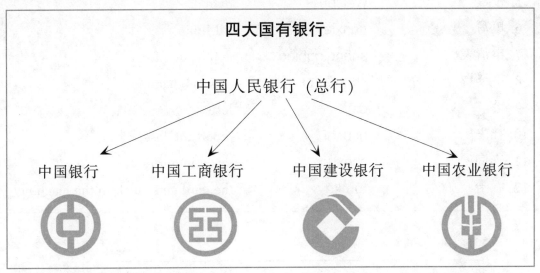

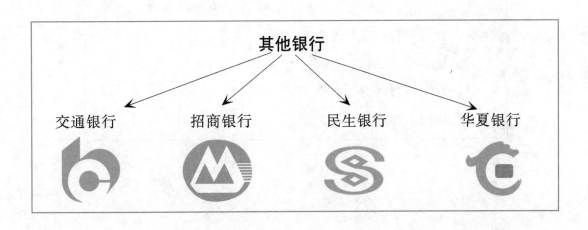

第二部分　怎么存钱和取钱

 对 话

你存定期的还是活期的　🎧 录音 99

词语提示

1. 开户	kāi hù	open an account
2. 账户	zhànghù	account
3. 输入	shūrù	input
4. 密码	mìmǎ	code
5. 位数	wèishù	digital
6. 填写	tiánxiě	fill in/up
7. 申请表	shēnqǐngbiǎo	application form
8. 手续费	shǒuxùfèi	service charge
9. 丢	diū	lose
10. 挂失	guàshī	report the loss
11. 查询	cháxún	make inquiries
12. 吞卡	tūn kǎ	the card gets stuck in the machine

问题提示

1. 大卫来银行做什么?
2. 他要存什么钱? 存多少?
3. 他在银行还办了什么?
4. 他问了营业员哪些问题?

一 听第一遍后回答提示的问题

二 第二遍分段听，听后回答下面的问题

1. 第一次在一家银行存钱，应该怎么做？

2. 大卫想怎么存？他要存单还是存折？

3. 他的外币要存多长时间？

4. 营业员给他开了什么账户？

5. 他的存折和存单都有密码吗？是几位数的？

6. 大卫办银行卡了吗？他是怎么办的？

7. 在 ATM 机上可以取外币吗？一次可以取多少？手续费是多少？

8. 在银行取外币时应该带什么？银行要收多少手续费？

9. 要是存折、存单或银行卡丢了怎么办？

10. 要是忘记了自己的密码怎么办？

11. 如果你的银行卡或钱被 ATM 机"吞"了怎么办？

三 听后看下面的提示图，分组说一说

1. 怎么存钱和取钱（外币和人民币）？

2. 怎么申请银行卡？

3. 怎么挂失（存折、银行卡丢失）和查密码？

4. ATM 机出了问题怎么办？

提示图

1. 存钱

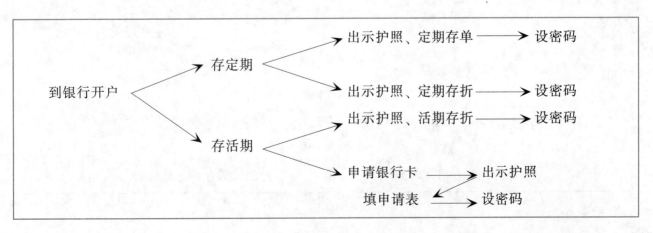

2. 取钱

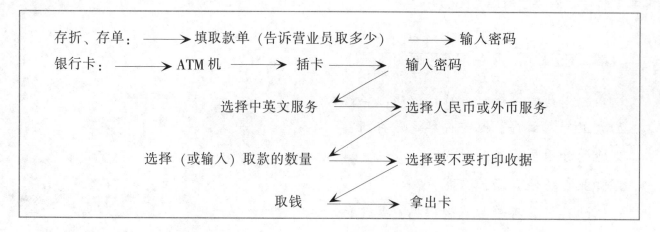

存折、存单：——→ 填取款单（告诉营业员取多少）——→ 输入密码

银行卡：——→ ATM 机 ——→ 插卡 ——→ 输入密码

选择中英文服务 ——→ 选择人民币或外币服务

选择（或输入）取款的数量 ——→ 选择要不要打印收据

取钱 ——→ 拿出卡

3. 忘记密码或挂失

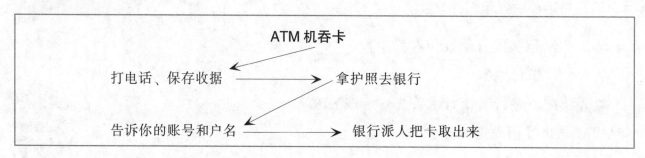

忘记密码 ——→ 拿护照、存折、银行卡等 ——→ 去银行换一个新密码

银行卡等丢失 ——→ 拿护照、存折 ——→ 原账户作废 ——→ 开一个新账户

4. ATM 机出了问题

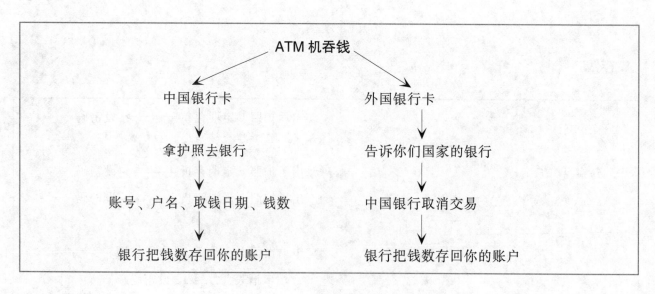

ATM 机吞卡

打电话、保存收据 ——→ 拿护照去银行

告诉你的账号和户名 ——→ 银行派人把卡取出来

ATM 机吞钱

中国银行卡 外国银行卡

拿护照去银行 告诉你们国家的银行

账号、户名、取钱日期、钱数 中国银行取消交易

银行把钱数存回你的账户 银行把钱数存回你的账户

第三部分 怎么汇款

 **对 话**

家里怎么给我寄钱 🎧 录音 100

词语提示		
1. 寄钱/汇钱/汇款	jì qián/huì qián/huì kuǎn	remit money
2. 汇路	huìlù	address where money is sent
3. 地址	dìzhǐ	address
4. 按照	ànzhào	according to
5. 汇单	huìdān	remittance slip

一 听第一遍后回答问题

1. 你家里人可以怎么给你寄钱？

2. 汇款的时候应该注意些什么事情？

3. 你从银行里可以取出什么货币？

二 听第二遍后，看下面的提示图说一说怎么汇款

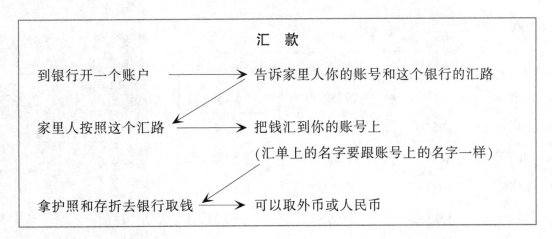

第四部分　怎么换外汇

今天美元的牌价是多少　　录音 101

词语提示

1. 兑换	duìhuàn	exchange
2. 牌价	páijià	list price
3. 汇率	huìlǜ	exchange rate
4. 一比七点〇六	yī bǐ qīdiǎnlíngliù	（1：7.06）
5. 证明	zhèngmíng	certificate
6. 保存	bǎocún	keep
7. 凭	píng	base on
8. 退汇	tuì huì	refund

信息提示

人民币外汇牌价

人民币/100 外币

币种	中间价	现钞买入价	现钞卖出价
美元（USD）	706.00	748.51	757.58
港币（HKD）	96.98	96.01	97.17
日元（JPY）	6.5184	6.2837	6.5445
欧元（EUR）	1033.09	995.90	1037.22
英镑（GBP）	1523.25	1468.41	1529.34
韩元（KRW）	0.8046	0.7628	0.8464

注释：1. 币种 bìzhǒng　currency　2. 中间价 zhōngjiānjià　intermediate price

3. 现钞 xiànchāo　cash　4. 买入 mǎirù　buy　5. 卖出 màichū　sell

图片提示

1. 外汇兑换单 wàihuì duìhuàndān exchange bill

2. 旅行支票 lǚxíng zhīpiào traveler's cheque

问题提示

1. 大卫想怎么换钱？换多少？
2. 今天美元的牌价是多少？
3. 他换到了多少人民币？

一 听第一遍后回答提示的问题

二 第二遍分段听，听后回答下面的问题

1. 换外汇应该拿什么证件？
2. 外汇兑换单应该怎么填？
3. 如果外汇换人民币，应该看牌价表上的哪个价格？
4. 如果人民币换外汇，应该看牌价表上的哪个价格？
5. 为什么要收好兑换证明？
6. 什么是退汇？
7. 旅行支票怎么兑换？
8. 你常在哪儿换钱？你是怎么换的？

（三）听后看下面的提示和今天的外汇牌价表，分角色表演："换钱"

换　钱

1. 换外汇 ——→ 拿护照、外币 ——————→ 了解汇率

　　　　　　　　　　　　　　　　　　　填外汇兑换单（用英文或中文）
　　　　　　　　　　　　　　　　　　　　　　↓
　　　　　　　　　　　　　　　　　　　拿人民币和兑换证明（保存好）

2. 退汇 ——→ 拿护照、没有用完的人民币和兑换证明
　　　　　　　　　　　　　　　　　　　　　　↓
　　　　　　　　　　　　　　　　　　　银行按照当日买入价换回外币

会话提示：

A：我想把……换成……。请问今天……元的牌价（汇率）是多少？

B：……比……（……可以换……人民币）。

A：给您钱。

B：请您填一下兑换单。请把您的护照给我。

A：给您。

B：您的……元换成人民币是……元。请数一数。

A：没错。

B：这是兑换证明，请收好。

A：谢谢！

本课小结 银行

重 点 词 语

1. 国有 guóyǒu	14. 密码 mìmǎ	26. 汇单 huìdān
2. 存取 cúnqǔ	15. 位数 wèishù	27. 兑换 duìhuàn
3. 外币/外汇 wàibì/wàihuì	16. 填写 tiánxiě	28. 牌价 páijià
4. 人民币 rénmínbì	17. 手续费 shǒuxùfèi	29. 汇率 huìlǜ
5. 为主 wéizhǔ	18. 丢 diū	30. 一比七点〇六
6. 办事 bàn shì	19. 挂失 guàshī	yī bǐ qīdiǎnlíngliù
7. 定期 dìngqī	20. 查询 cháxún	(1：7.06)
8. 活期 huóqī	21. 吞卡 tūn kǎ	31. 证明 zhèngmíng
9. 申请 shēnqǐng	22. 地址 dìzhǐ	32. 保存 bǎocún
10. 银行卡 yínhángkǎ	23. 寄钱/汇钱/汇款	33. 凭 píng
11. 开户 kāi hù	jì qián/huì qián/huì kuǎn	34. 退汇 tuìhuì
12. 账户 zhànghù	24. 汇路 huìlù	
13. 输入 shūrù	25. 按照 ànzhào	

重 点 问 题

1. 中国有哪几家大的国有银行？在这些银行都可以存取外币吗？
2. 如果你存钱，银行会给你什么？什么是定期？什么是活期？
3. 如果你想要银行卡的话，应该怎么办？
4. 如果你是第一次存钱，应该怎么做？
5. 如果你怕存折和存单丢了，应该怎么办？
6. 在 ATM 机上可以取外币吗？一次可以取多少？手续费是多少？
7. 在银行取外币应该带什么？银行要收多少手续费？
8. 要是你的存折、存单或银行卡丢了，怎么办？
9. 要是忘记了密码，怎么办？
10. 你的银行卡或钱被 ATM 机 "吞" 了，怎么办？
11. 你家里人怎么给你寄钱？
12. 汇款的时候应该注意些什么事情？可以取出什么货币？
13. 你常去中国的哪家银行？你去银行做什么？
14. 你常在哪儿换钱？怎么在银行换钱？为什么要收好兑换证明？

23 你要空运还是海运

现在有了电脑，大家一定很少用笔写信，也一定很少去邮局寄信、买邮票了吧？但是有些事情还是需要去邮局的，比如，你的家人给你寄来了包裹，或者你需要给家人、朋友寄一些书或礼物，还有寄快件什么的都得去邮局。如果交流不好，也会给你带来一些不便，所以我们应该了解一下中国的邮局。

本课共分三个部分：

第一部分　怎么邮寄信件

第二部分　怎么寄/取包裹

第三部分　邮局的其他服务

第一部分　怎么邮寄信件

 对 话

你要不要寄挂号　录音102

词语提示

1. 航空	hángkōng	by air	6. 邮政编码	yóuzhèng biānmǎ	postcode/zip code
2. 信封	xìnfēng	envelope			
3. 寄/收信人	jì/shōuxìnrén	addresser/addressee	7. 挂号信	guàhàoxìn	registered mail
			8. 超重	chāo zhòng	overweigh
4. 地址	dìzhǐ	address	9. 贴	tiē	stick to
5. 上/下角	shàng/xiàjiǎo	upper/lower corner	10. 收据	shōujù	receipt

图片提示

Payee : ChenYue
Address : Room 304,No.35,Building 14,Meiyuan erli,
Haining,Zhejiang, P.R.C
ZIP code : 314400

1. 国际信件 guójì xìnjiàn
international

2. 国内信件 guónèi xìnjiàn
domestic

3. 明信片 míngxìnpiàn
post card

4. 邮资机 yóuzījī
franking machine

5. 信筒/箱
xìntǒng/xiāng

6. 邮递员 yóudìyuán

7.普通邮票 pǔtōng yóupiào
general stamp

8. 纪念邮票 jìniàn yóupiào
commemorate stamp

9. 印刷品 yìnshuāpǐn
printed material

信息提示

1. 国际航空信件邮资（yóuzī　postage）表

种类	重量、数量	一区（元） 韩国、日本	二区（元） 印尼、泰国	三区（元） 欧、美、加、澳	四区（元） 非洲、美洲
信件 xìnjiàn	0~20g	5.00	5.50	6.00	7.00
	超重/10g（克）	1.00	1.50	1.80	2.30
印刷品 yìnshuāpǐn	0~20g	4.00	4.50	5.00	6.00
	超重/10g（克）	0.90	1.20	1.50	1.80
小包 xiǎobāo	0~100g	14.00	16.00	18.00	20.00
	超重/100g（克）	9.00	12.00	15.00	18.00
挂号 guàhào	一件　加费	8.00	8.00	8.00	8.00
明信片 míngxìnpiàn	一张	4.50	4.50	4.50	4.50
时间 shíjiān	天/左右	5~7 天	7~9 天	9~18 天	10 天

注释：克 kè　　gram

2. 国内普通信件邮资表

地区	邮资（元）	挂号信（元）	时间
本市 běnshì	0.80	3.00	1~2 天
外地 wàidì	1.20	3.00	3~7 天

问题提示

1. 大卫来邮局做什么？
2. 这些信是寄到哪儿的？
3. 他想怎么寄？
4. 他还做什么了？

一 听第一遍后回答提示的问题

二 听第二遍后回答下面的问题

1. 大卫为什么重写了一遍信封？应该怎么写？

2. 那封寄到国外的信为什么要加钱？

3. 如果是比较重要的信，最好怎么寄？为什么？

4. 他寄信花了多少钱？营业员是怎么算的？

5. 他贴邮票了吗？为什么？

6. 什么时间可以寄到？

7. 他最后买了什么？它们各多少张？共多少钱？

8. 他这次一共花了多少钱？

9. 贴好邮票的信应该放到哪儿？

三 听后分组根据邮资表和下面的提示完成对话

1. 寄国际国内信件、印刷品和小包。

2. 买邮票、信封和明信片。

寄信 → 哪儿？ → 航空？ → 挂号？ → 多少钱？ → 贴邮票？ → 什么时候到？

第二部分 **怎么寄 / 取包裹**

对 话 1

你要空运还是海运 　🔾 录音 103

词语提示

1. 包裹	bāoguǒ	parcel	3. 封（箱）	fēng(xiāng)	seal
2. 检查	jiǎnchá	examine	4. 称重量	chēng zhòngliang	weigh

5. 航运	hángyùn	by air	8. 打包	dǎ bāo	pack
6. 海运	hǎiyùn	by sea	9. 物品	wùpǐn	article
7. 加费	jiā fèi	additional charge			

图片提示

1. 包装箱 bāozhuāngxiāng　　2. 包裹单 bāoguǒdān　　3. 打包机 dǎbāojī

信息提示

1. 国际包裹邮资表

国家	航运价(元)	海运价(元)	超重加价(元)	运送时间
韩国	98.3/公斤	87.9/公斤	航运20/公斤 海运15/公斤	7~10天　1个月
日本	124.2/公斤	108/公斤	航运30/公斤 海运20/公斤	7~10天　1个月
印尼	94.6/公斤	66.5/公斤	航运40/公斤 海运15/公斤	7~10天　40天
泰国	83.7/公斤	66.5/公斤	航运20/公斤 海运10/公斤	7~10天　40天
澳大利亚	143.8/公斤	88.8/公斤	航运70/公斤 海运20/公斤	10~15天　60天
美国	158.5/公斤	83/公斤	航运40/公斤 海运20/公斤	10~15天　60天
意大利	159.3/公斤	99.8/公斤	航运70/公斤 海运20/公斤	10~15天　60天
英国	162.3/公斤	108.1/公斤	航运70/公斤 海运30/公斤	10~15天　60天
法国	185.3/公斤	131/公斤	航运70/公斤 海运15/公斤	10~15天　60天
非洲国家	200/公斤	150/公斤	航运90/公斤 海运40/公斤	15~20天　90天

2. 不能邮寄的东西

危险物品	易燃易爆、有毒、刀、打火机、火柴
液体的东西	香水、洗发水、化妆品
食品	水果、肉类、蛋、奶类
书（印刷品）	磁带、一种书不能寄得太多、DVD、VCD、CD，要有发票
药	一次寄不超过人民币 200 元的药，要有买药的发票
茶叶、烟	一次最多寄 1 公斤，烟一次最多寄两条（要填报关单）

注释： 1. 危险　　　　wēixiǎn　　　　　　dangerous

　　　　2. 易燃易爆　　yìrán yìbào　　　　　combustible and explosive

　　　　3. 毒　　　　　dú　　　　　　　　　poison

　　　　4. 打火机　　　dǎhuǒjī　　　　　　　lighter

　　　　5. 香水　　　　xiāngshuǐ　　　　　　perfume

　　　　6. 化妆品　　　huàzhuāngpǐn　　　　cosmetic

　　　　7. 报关单　　　bàoguāndān　　　　　customs declaration form

问题提示

1. 大卫要寄什么？寄到哪儿？

2. 他要怎么寄？寄的是什么东西？

3. 这些东西有多重？邮费是多少？

4. 寄到那儿要多长时间？

（一）听第一遍后回答提示的问题

（二）听第二遍后回答下面的问题

1. 营业员开始时为什么不给他寄？

2. 他买了哪种包装箱？多少钱？

3. 包裹为什么不能先封上？

4. 包裹上应该写什么？

5. 包裹单一般怎么写？

6. 营业员不让他寄什么？为什么？

7. 如果包裹比较大，该怎么做？可以免费吗？

（三）小组活动

　　两人一组互相问答：一个……公斤的包裹，寄到……，航运多少钱？海运多少钱？什么时候能到？

（四）听后根据前面的邮资表和下面的提示，分组练习对话："寄包裹"

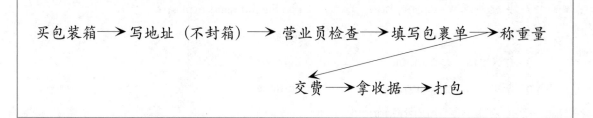

买包装箱 → 写地址（不封箱）→ 营业员检查 → 填写包裹单 → 称重量

交费 → 拿收据 → 打包

对话2

我该怎么取包裹　🎧 录音104

词语提示

1. 包裹单	bāoguǒdān	parcel slip	4. 超过	chāoguò	exceed
2. 地铁	dìtiě	subway	5. 保管费	bǎoguǎnfèi	storage charge
3. 送货费	sònghuòfèi	delivery fee			

图片提示

1. 邮件通知单
yóujiàn tōngzhīdān
mail notice sheet

2. 学校收发室
xuéxiào shōufāshì
school office for incoming and outgoing mail

3. 国际邮局
guójì yóujú

听后回答问题

1. 一般的包裹应该怎么取？取什么包裹得去国际邮局？
2. 国际邮局在哪儿？怎么走？
3. 如果没有时间去国际邮局取怎么办？
4. 为什么要尽快去邮局取寄来的包裹？
5. 请说说怎么取包裹。

取包裹

一般包裹：通知单 → 学校收发室 → 取包裹单 → 邮局 → 护照、包裹单 → 拿包裹

特殊包裹：通知单 → 学校收发室 → 取包裹单 → 国际邮局 → 护照、包裹单 → 拿包裹

送上门：打电话 → 告诉对方你的地址 → 说好在家等的时间 → 送货费 80 元

注意：到期不拿，放在邮局超过一天得交 5 毛钱的保管费

第三部分 邮局的其他服务

 对话

我还可以在邮局做什么 录音105

词语提示

1. 汇款	huì kuǎn	remit money
2. 特快专递	tèkuài zhuāndì	express mail service
3. 快递公司	kuàidì gōngsī	company of express delivery
4. 电话费	diànhuàfèi	telephone fee
5. 电话卡	diànhuàkǎ	telephone card
6. 公交卡	gōngjiāokǎ	public transportation card

图片提示

1. 西联汇款（WESTERN UNION）

2. EMS 邮政特快专递

信息提示

1. 西联汇款的方法

家里人汇款后 ——→ 告诉你一个 10 位数字的密码

你带护照到邮局 ——→ 告诉营业员你的姓名、汇款金额和密码

电脑输入密码 ——→ 密码对了，可以取钱

汇取款只需 15 分钟 ——→ 一次可寄 2000 美元

手续费 ——→ 500 美元以下 —— 15 美元

500~1000 美元 —— 20 美元

1000~2000 美元 —— 25 美元

2. 特快专递收费表

国家	快递费　元/500g		超重　元/500g	时间
日本、韩国、蒙古	文件 115.00	物品 180.00	40.00	3 天左右
印尼、泰国、马来西亚	文件 130.00	物品 190.00	45.00	3 天左右
澳大利亚、新西兰	文件 160.00	物品 210.00	55.00	4 天左右
英、法、意、德	文件 220.00	物品 280.00	75.00	4 天左右
美国、加拿大	文件 180.00	物品 240.00	75.00	4 天左右
非洲国家	文件 370.00	物品 445.00	120.00	5 天左右

（EMS 服务电话：185）

（一）听后回答问题

1. 邮局除了邮寄信件和包裹外还有什么服务？
2. 要是想在最快的时间内收到汇款怎么办？
3. 要是想寄加急信件怎么办？怎么跟他们联系？
4. 用西联汇款寄钱从寄到取需要多长时间？一次可以寄多少美元？手续费多少？
5. 寄到你们国家的特快专递多少钱？超重怎么办？多长时间能到？
6. 在邮局除了可以汇钱和寄快件以外，还可以做什么？

（二）根据上面的信息提示，分角色练习对话

　1. 汇钱。

　2. 寄特快专递。

　3. 买 CD、VCD、DVD 和电话卡等。

（三）听后讨论

　　你以前常去邮局做什么？现在呢？为什么有了这些变化？

本课小结 邮政

重 点 词 语

1. 航空	hángkōng		20. 封(箱)	fēng(xiāng)
2. 信封	xìnfēng		21. 称重量	chēng zhòngliang
3. 寄/收信人	jì/shōuxìnrén		22. 航运	hángyùn
4. 地址	dìzhǐ		23. 海运	hǎiyùn
5. 邮政编码	yóuzhèng biānmǎ		24. 加费	jiā fèi
6. 挂号信	guàhàoxìn		25. 打包	dǎ bāo
7. 超重	chāozhòng		26. 包装箱	bāozhuāngxiāng
8. 贴	tiē		27. 危险物品	wēixiǎn wùpǐn
9. 收据	shōujù		28. 报关单	bàoguāndān
10. 国际信件	guójì xìnjiàn		29. 包裹单	bāoguǒdān
11. 国内信件	guónèi xìnjiàn		30. 送货费	sònghuòfèi
12. 明信片	míngxìnpiàn		31. 超过	chāoguò
13. 信筒/箱	xìntǒng/xiāng		32. 保管费	bǎoguǎnfèi
14. 邮递员	yóudìyuán		33. 汇款	huì kuǎn
15. 普通邮票	pǔtōng yóupiào		34. 特快专递	tèkuài zhuāndì
16. 纪念邮票	jìniàn yóupiào		35. 快递公司	kuàidì gōngsī
17. 印刷品	yìnshuāpǐn		36. 电话费	diànhuàfèi
18. 包裹	bāoguǒ		37. 电话卡	diànhuàkǎ
19. 检查	jiǎnchá		38. 公交卡	gōngjiāokǎ

重 点 问 题

1. 你在北京给上海的朋友寄信，信封上应该怎么写？
2. 寄信一定得贴邮票吗？中国的邮票主要有几种？
3. 如果是比较重要的信，应该怎么寄？为什么要收好收据？
4. 寄到你们国家的信大概多少钱？
5. 在中国怎么寄包裹？怎么取包裹？包裹超重了怎么办？
6. 还可以在邮局做什么？

24 你喜欢用哪种电话卡

　　来中国后，很多留学生都买了手机，这样打电话就非常方便了。用手机，就得常买电话卡。你知道该买哪种电话卡吗？你会不会给自己的手机充值？你能听懂电话里的语音提示吗？当遇到各种问题的时候，你会不会打电话向有关的人求助或询问呢？这一课我们来看看如何处理这些问题吧。

　　本课共分三个部分：

第一部分　介绍中国的电话卡

第二部分　介绍中国常用的求助电话

第三部分　怎么打求助电话

第一部分　介绍中国的电话卡

 介　绍

你喜欢用哪种电话卡　🎧 录音 106

词语提示

1. 电信	diànxìn	telecommunications
2. 移动	yídòng	mobile
3. 输入	shūrù	input
4. 账号	zhànghào	account number
5. 密码	mìmǎ	code
6. 本市	běnshì	local

7. 国内	guónèi	domestic
8. 国际	guójì	international
9. 长途	chángtú	long distance
10. 插进	chājìn	insert
11. 卡号	kǎhào	card number
12. 受……欢迎	shòu……huānyíng	be well-received

图片提示

1. 中国电信公司
Zhōngguó Diànxìn

2. 中国移动公司
Zhōngguó Yídòng

3. 中国联通公司
Zhōngguó Liántōng

4. 201 卡

5. IC 卡

6. IP 卡

7. 充值卡 chōngzhíkǎ

8. 神州行卡
Shénzhōuxíng Kǎ

9. 全球通卡
Quánqiútōng Kǎ

10. 公共电话亭
gōnggòng diànhuàtíng

11. 座机 zuòjī

12. 手机 shǒujī

> ### 问题提示
>
> 1. 中国有哪几家大的电信公司？
> 2. 现在有哪几种电话卡？
> 3. 现在使用人数最多的是什么电话卡？
> 4. 最受欢迎的是哪种卡？

（一）听第一遍后回答提示的问题

（二）听第二遍后回答下面的问题

1. 这些电话卡有什么不同？
2. 这些电话卡分别怎么用？
3. 神州行卡和全球通卡有什么不同？
4. 还有哪些手机卡？
5. 你现在用的是什么电话卡？为什么你喜欢用这种电话卡？

（三）两个人一组，根据下面的电话卡费用表练习对话："买电话卡"

	中国电信	中国联通		中国移动	
	17908（IP卡）	17910（IP卡）	17930（IP卡）	神州行（手机）	全球通（手机）
市话	0.11 元/分钟	0.11 元/分钟	0.11 元/分钟	0.60 元/分钟	0.40 元/分
国内长途	0.30 元/分	0.30 元/分	0.30 元/分	0.07 元/6 秒	0.07 元/6 秒
国际长途	港、澳、台 1.50 元/分	港、澳、台 1.50 元/分	港、澳、台 1.50 元/分	港、澳、台 0.20 元/6 秒	港、澳、台 0.20 元/6 秒
	美、加 2.40 元/分	美、加 2.60 元/分	美、加 2.40 元/分		其他国家 0.80 元/6 秒
	欧洲南亚韩日澳 3.60 元/分	欧洲南亚韩日澳 3.60 元/分	欧洲南亚韩日澳 3.20 元/分		
	其他国家 4.60 元/分	其他国家 4.40 元/分	其他国家 4.40 元/分	接听电话 0.60 元/分	优惠 0：00~7：00 国内 0.04 元/6 秒 国际 0.48 元/6 秒

 **对 话**

我的手机该充值了 🎧 录音 107

词语提示		
1. 开机	kāi jī	turn on the mobile phone
2. 充值	chōng zhí	put more credit into, top up
3. 位	wèi	digit
4. 语音提示	yǔyīn tíshì	voice instruction
5. 普通话	pǔtōnghuà	Mandarin Chinese
6. 按	àn	press
7. 话务员	huàwùyuán	operator
8. 查询	cháxún	make inquiries
9. 余额	yú'é	balance
10. 修改	xiūgǎi	change, modify
11. 挂失	guàshī	report the loss of
12. 本机	běnjī	this phone
13. # 号键	jǐnghào jiàn	the # key
14. 结束	jiéshù	end
15. 其他	qítā	the rest
16. 有效期	yǒuxiàoqī	term of validity

问题提示
1. 女的为什么没开机?
2. 她为什么不给手机充值?
3. 她用的是什么手机卡?
4. 电话语音提示给手机充值有几步?

（一）听第一遍后回答提示的问题

（二）听第二遍后，两人一组，根据下面的提示，练习给手机充值

一个人扮演用户，另一个人充当语音提示。

（第一步）普通话1，英语2

（第二步）充值1，查询余额2，修改密码3，挂失4，银行卡5，话务员0

（第三步）本机充值：1＋#　　其他手机充值：手机号码＋#

（第四步）输入密码＋#

（第五步）余额为____元，有效期到____月____日。

第二部分　介绍中国常用的求助电话

介　绍

社会服务电话　🎧 录音108

词语提示		
1. 社会服务	shèhuì fúwù	social services
2. 解决	jiějué	resolve
3. 紧急	jǐnjí	urgent
4. 困难	kùnnan	difficult
5. 危险	wēixiǎn	dangerous
6. 重要	zhòngyào	important
7. 求助	qiúzhù	ask for help
8. 报警	bào jǐng	report to the police
9. 迷路	mí lù	lose one's way
10. 掉进	diàojìn	fall into
11. 提供	tígōng	provide
12. 质量	zhìliàng	quality
13. 消费者	xiāofèizhě	consumer
14. 投诉	tóusù	lodge a complaint

图片提示

1. 犯罪（偷、抢、骗）fànzuì

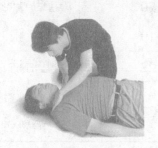

2. 得急性病 dé jíxìngbìng

3. 救护车（急救）jiùhùchē

4. 着火 zháo huǒ
   消防队员 xiāofángduìyuán

5. 消防车
   xiāofángchē

6. 出交通事故
   chū jiāotōng shìgù

7. 遇险 yùxiǎn

8. 天气预报 tiānqì yùbào

9. 快递公司 kuàidì gōngsī

信息提示

常用社会服务电话

救助	电话	生活服务	电话
报警	110	天气预报	121
医疗急救	120	电话号码查询台	114
火警	119	报时	117
交通事故	122	电信话费查询	170
		特快专递服务	185
		消费者投诉	12315

问题提示

1．什么时候可以打这些求助电话？

2．社会服务电话分几种？

3．这些电话有什么不同？

（一）听第一遍后回答提示的问题

（二）听第二遍后回答下面的问题

1. 如果你的东西被偷了，应该打什么电话求助？

2. 如果你的朋友得了急性病，很危险，应该打什么电话求助？

3. 如果你住的地方着火了，应该打什么电话求助？

4. 如果你看见有人掉进水里，很危险，应该打什么电话求助？

5. 117 是什么服务电话？ 114、121、185、170、12315 呢？

第三部分 怎么打求助电话

对话1

老大娘您别着急 🎧录音 109

词语提示

1. 烧	shāo	burn	
2. 钥匙	yàoshi	key	
3. 厨房	chúfáng	kitchen	
4. 炉子	lúzi	stove	
5. 煮饭	zhǔ fàn	cook a meal	
6. 冒烟	mào yān	smoke	
7. 详细	xiángxì	detailed	
8. 东城区	Dōngchéng Qū	Dongcheng District	
9. 邮局	yóujú	post office	
10. 路口	lùkǒu	corner, intersection/crossing	
11. 以内	yǐnèi	within	

问题提示

1. 这个老大娘在给哪儿打电话?
2. 她为什么要给他们打电话?
3. 打这种求助电话应该告诉他们什么?

对话2

请告诉我们您的电话　🔊 录音110

词语提示		
1. 失踪	shīzōng	missing
2. 经过	jīngguò	course
3. 放学	fàng xué	classes are over
4. (有)来往	(yǒu)láiwǎng	have contact with
5. 按规定	àn guīdìng	according to the rules
6. 调查	diàochá	investigate

（一）听后回答问题

1. 女的是谁？她在给谁打电话？

2. 她为什么要给他们打电话？

3. 他们问了哪些问题？

4. 请你简单介绍一下事情发生的经过。

5. 打这种求助电话应该告诉他们什么？

（二）两人一组，设想各种情况，练习打下面的电话

1. 救助电话：110、119、120

2. 服务电话：114、117、121、185、12315

本课小结　电信

重 点 词 语

1. 电信	diànxìn	19. 紧急	jǐnjí
2. 移动	yídòng	20. 危险	wēixiǎn
3. 本市	běnshì	21. 重要	zhòngyào
4. 长途	chángtú	22. 求助	qiúzhù
5. 插进	chājìn	23. 报警	bào jǐng
6. 卡号	kǎhào	24. 掉进	diàojìn
7. 开机	kāi jī	25. 提供	tígōng
8. 语音提示	yǔyīn tíshì	26. 质量	zhìliàng
9. 普通话	pǔtōnghuà	27. 消费者	xiāofèizhě
10. 查询	cháxún	28. 烧	shāo
11. 余额	yú'é	29. 钥匙	yàoshi
12. 修改	xiūgǎi	30. 炉子	lúzi
13. 挂失	guàshī	31. 煮饭	zhǔfàn
14. #号键	jǐnghào jiàn	32. 冒烟	mào yān
15. 结束	jiéshù	33. 详细	xiángxì
16. 有效期	yǒuxiàoqī	34. 失踪	shīzōng
17. 社会服务	shèhuì fúwù	35. 按规定	àn guīdìng
18. 解决	jiějué	36. 调查	diàochá

重 点 问 题

1. 你喜欢用哪一种电话卡？为什么？

2. 怎么给手机充值？

3. 怎么打求助电话？（得急性病、着火、东西被偷、遇险）

4. 你还知道哪些生活服务电话？

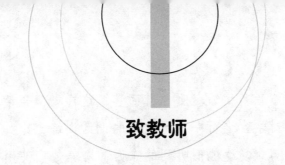

致教师

　　初级汉语听说课的教学任务就是要以学生基本的生活需求为出发点，向他们提供最实际的语言帮助。我们的编写原则是，要尽量淡化单纯的语言教学，强化学生在中国生存能力的培养，引导他们在解决各种问题的过程中获得实际、有效的语言技能。

　　这本教材是以话题为中心来组织教学的。每课由教师根据录音就某个话题带领学生进行一系列的教学活动。每课的话题又分成不同板块，比如：有关于这个话题的生活常识和主要资讯的介绍，有怎么进行这方面交际对话的训练，有怎么解决这方面问题的任务演练等。话题就像一条线，把各个板块串联起来，形成了一个紧密结合的整体，使学生在一个大的语言环境下自然、流畅地完成听说训练的整个过程。

　　本教材的特点和对学生的要求我们已在"致学习者"中进行了说明。下面是我们对使用这本教材的教师提出的一些建议，仅供参考。

　　1 教师首先要给学生营造一个轻松自然的课堂环境，要让学生知道这不是单纯的语言学习课或测试课，而是生存技能的训练课。因此不要在意自己是否听懂了里面的每一个字或每一句话，而是要把注意力放在吸收信息、了解情况、掌握解决问题的方法上。这样他们就不会因为个别词句听不懂而感到紧张了。所有的听说训练都要让学生轻松地听，轻松地说。

　　2 在听语料前，我们提供了一些词语提示、图片提示、问题提示和一些讨论活动，作为听前的准备，让学生在听前就了解到相关的主要信息，最大程度地激活他们头脑中对这些信息的记忆，以减轻学生听和说的压力。教师要重视这些听前准备，但是在词语的讲解上不要用太多的时间，因为大部分词语都是学生以前学过的，只是因为长时间不用而对它的声音刺激形成不了意义上的连接，学生通过跟读就可以从听觉上激活它们。教师只需对那些学生可能听不懂的生词稍加讲解，而且最好是以听力材料中有关的语句做例子，这样学生在听的时候就会容易得多。

　　3 在听语料的过程中，第一遍只要求学生听懂大概的意思，训练他们理解整篇意义的能力，只要能回答出听前提示的问题就可以了。第二遍要求学生听懂细节的问题，还要理解一些主要词语或表达方式的意思。教师可以根据语料的长短、难易程度和学生的情况适当增加听的次数，但不能只是单纯地播放录音，要引导学生从他们听到的前后语句中，猜测某些没有听懂的地方的意思，要训练学生跳跃障碍的能力。要有听力技能方面的训练，培养学生猜测、分析、判断、概括、总结等方面的能力。

　　4 在听语料后，第一步主要是通过听后回答问题的形式来了解学生理解的情况。学生不是通过手中的笔，而是通过声音来反馈。听了就回答，这样更符合话语交际的规律，使课堂教学更贴近实际。第二步是对学生进行一些限定性的说话训练，比如"听后复述"是要求学生根据一些提示性的词语或句式复述他们听到的东西，培养他们使用规范正确的语言进行表达的习惯。"听后说"和"听后介绍"是训练学生在理解话语的基础上，重新组织话语的能力。"听后讨论"和"听后辩论"是引导学生对一个话题进行思考，然后生成自己的语言表达出来。还有"情景对话""情景表演"是要求他们模拟真实的语言环境，并在这个语境下进行各种交际活动。

最后一步是组织学生做一些任务性的活动，比如制订旅行计划、导游带旅行团、打投诉电话等，让学生在完成这些任务的同时，掌握所需的语言技能。

5 我们建议两个课时学习一课。如果时间不够的话，有些听力材料和听后练习不一定都要做，可根据学生情况进行适当删减。每课后的重点词语和重点问题可供复习时参考。

总的来说，每课的听说训练实际上就是一个"铺路搭桥"的过程。前面的"听"是为了后边的"说"。"听"是准备，是积累，是手段。"说"是实施，是结果，是目的。只有让学生听懂了，掌握到足够的声音信息和表达方式，他们才知道怎么去说，使"听"真正落实到"说"。有道是，水到自然渠成。

编者：王小珊

2008 年 7 月

图片使用说明

　　为了帮助汉语学习者更直观地了解中国的社会和生活，本书在"图片提示"部分选用了大量的小图片作为录音内容的提示，其中个别图片来自佚名作者，这里我们向原图片作者表示感谢，并请他们与我们联系图片版权使用事宜。

编　者